Postbus 487
8600 AL Sneek

De Sudwester
Christelijke school voor speciaal basisonderwijs

EILAND IN DE WIND

Van **Lieneke Dijkzeul** verschenen bij Lemniscaat:

Hou je taai!
De tweede viool
Een muis met klauwen
Een bezem in het fietsenrek
Kortsluiting
Bevroren tijd
Eiland in de wind

De tweede viool werd getipt door de Nederlandse Kinderjury 1992;
Een muis met klauwen door de Nederlandse Kinderjury 1994.
Kortsluiting werd getipt door de Nederlandse Kinderjury 1997 en
door de Jonge Jury 1997.

Lieneke Dijkzeul

Eiland
in de wind

Lemniscaat ✷ Rotterdam

STICHTING NEDERLANDSE
KINDERJURY
2002

Omslagillustratie: Martijn van der Linden
© Lemniscaat b.v. Rotterdam 2001
ISBN 90 5637 344 7

Druk: Wilco, Amersfoort
Bindwerk: Boekbinderij de Ruiter BV.
Dit boek is gedrukt op milieuvriendelijk, chloorvrij gebleekt en verouderingsbestendig papier en geproduceerd in de Benelux waardoor onnodig en milieuverontreinigend transport is vermeden.

1

Bonaire, woensdag

Het telegram kwam 's avonds. Ze hadden vroeg gegeten en zaten in de koele wind op het erf terwijl Gina lachend en schreeuwend rondholde met een paar buurkinderen, haar jurkje een lichte vlek in de schemering.

Ze herkenden het postautootje pas toen de koplampen het erf in een felle gloed zetten.

'Hij komt naar ons, Roy!' Zijn moeder kwam overeind, een hand aan haar keel.

De besteller groette de buren links en maakte een praatje met de buurman rechts, die een wrak op blokken had staan en met hardnekkig geduld probeerde er weer een auto van te maken.

Roy's moeder hield het niet langer uit. Op blote voeten liep ze het erf over, gewoontegetrouw de kuil vermijdend waarin na een regenbui water bleef staan.

'Bon nochi, Juan!' Ze kende het hele eiland, en bovendien was Juan haar achterachterneef.

'Bon nochi, Perdita, kon ta bai?' Hij boog zwierig, hun vaste grapje, maar deze keer lachte ze er niet om.

'Wat heb je voor mij?'

'Een telegram!' Hij hield het boven zijn hoofd als was het een trofee. 'Uit Nederland! Dat moet van Carlos zijn, toch?'

De buurman veegde zijn handen af aan een vettige lap en kwam erbij staan.

'Danki, Juan.' Ze liet het in de zak van haar rok glijden. 'Groet jouw vrouw van mij, eh? Kom, Gina! Wij gaan naar binnen, het is al bijna donker.'

De buurman kreeg een knikje, en statig zeilde ze langs de kuil terug naar haar keukenstoel.

Het zou haar niet helpen, dacht Roy. Morgen wist iedereen dat Carlos een telegram had gestuurd.

Binnen verdween haar kalmte. In zenuwachtige haast knipte ze de lamp aan en scheurde het telegram open.

'Het is van Carlos!'

'Mami, mami!' Gina trok aan haar rok. 'Wat staat erin, mami, wat schrijft Carlos?'

Roy las mee:

Kom donderdag.
Carlos.

'Dat is al morgen! En ik moet werken! Waarom toch nooit eerder, hij weet toch dat ik moet werken. Hoe kan ik nu alles in orde krijgen voor hij komt!' Ze keek om zich heen alsof ze direct aan de slag wilde. 'Heb je jouw bed gemaakt, Roy?'

'Nog niet.'

'Ik had het je gevraagd! Honderd maal heb ik jou gezegd, máák dat bed, voor als Carlos thuiskomt.' Ze liep naar de koelkast, trok de deur open en inspecteerde de inhoud.

Roy zuchtte inwendig. 'Dat bed is zo gemaakt, mami. Ik zal het straks doen. Hij zakt er heus niet door.'

En wat als Carlos er wél doorzakte, dacht hij. Dan stond hij weer eens met beide benen op de grond.

Een vinnige roffel op de deur. 'Perdita!'

Zijn moeder mompelde een verwensing. 'Sí!'

De buurvrouw stak haar hoofd om de hoek. 'Het jurkje voor

Gina, Perdita. Het is al bijna af, ben je niet blij? Maar zij moet even passen.'

Gina stond al naast haar. Met een vingertje aaide ze over de felroze stof. 'Mooi, mami!'

'Maar ik heb het wiegje nog niet schoongemaakt voor jou!'

'Bon, bon.' Buurvrouws gedachten waren duidelijk elders. 'Dios ta grandi. Morgen komt de zon gewoon weer op, no?' Ze klopte op haar enorme buik. 'En dit kind maakt geen haast.' Ze lachte schaterend. 'Jongens maken nooit haast, toch?'

Roy's moeder bekeek haar kritisch. 'Een jongen? Je draagt erg van voren. Ben je wel zeker?'

Buurvrouws krulletjes dansten. 'Ik ben bij Conchita geweest, zij heeft gevoeld.'

'Ah.' Roy's moeder knikte. 'En de draad?'

'Ook een jongen.'

De buurvrouw ging erbij zitten. Haar ogen dwaalden naar de kast, waarop Carlos haar vanuit zijn goudkleurige lijst brutaal toelachte. 'Was dat de post nog zo laat bij jou?'

Roy's moeder knikte. 'Kom, Gina, wij passen even jouw jurkje. Dat zal prachtig staan bij je haren, no?'

Gina trok aan buurvrouws rok. 'Is mijn jurk dan af als Carlos komt?'

'Wanneer komt Carlos dan, dushi?' De buurvrouw zag eruit als een kat die van de room heeft gesnoept.

'Morgen toch!' straalde Gina.

Roy keek naar zijn moeder. Haar mond was een dunne streep, maar ze zei niets. Ze wist wanneer ze verslagen was.

Schiphol, donderdag

'Vlucht nummer KL zeven-acht-negen naar Bonaire en Curaçao heeft een vertraging van ongeveer vijftig minuten. Herhaling…'

'Shit,' zei Emma.

Andreas luisterde allang niet meer naar alle berichten die werden omgeroepen, maar nu veerde hij op.

'Hè?'

'Sst!' Emma legde een vinger op haar lippen.

'… van ongeveer vijftig minuten. Flight number KL seven-eight-nine…'

'Gaan we niet?'

'Natuurlijk wel,' zei Emma ongeduldig. 'Maar we hebben vertraging.'

'O.' Andreas' pinknagel ging in de richting van zijn mond, maar toen hij Emma zag kijken stak hij zijn hand in zijn broekzak.

Om hen heen zakten de andere passagiers nog maar eens onderuit op hun stoel. De man met de snor en de witte spijkerbroek brak een nieuwe rol pepermunt aan, het meisje met het rode haar en de enorme oorbellen werkte haar ogen bij, de dreumes tegenover hen begon te huilen. Zijn moeder nam hem op schoot.

Andreas rimpelde zijn neus. Poep. Geen wonder dat dat wurm huilde.

'Hoe laat gaan we dan?'

'We gingen officieel om vijf over twee,' zei Emma.

Andreas rekende het bliksemsnel uit. 'Dus nu om vijf voor drie.' Hij schommelde met zijn benen. 'Zullen we dan nog even met de roltrap? Dat kan makkelijk.'

'Het is geen roltrap.'

'Een rollóper dan.' Het maakte Andreas niet uit hoe zo'n ding heette, als hij er maar op mocht.

Maar Emma schudde haar hoofd. 'Ik ga niet weer dat hele eind terug. Ik heb die winkels nou wel gezien. En we kopen toch niks.'

'We hebben toch geld?'

'Wou jij een liter jenever? Of een slof sigaretten?'

Andreas giechelde.

'Nou dan,' zei Emma.

Andreas schommelde weer. 'Maar ik verveel me.'

'Nu al? En je moet nog negen uur stilzitten.' Ze streek haar haren naar achteren. 'Trouwens, op een luchthaven verveel je je niet. Er is altijd wel iets om naar te kijken.'

'Hier niet.' Andreas kon koppig zijn. 'De winkels vind ik leuk, maar hier is niks te beleven.'

'Wel,' zei Emma. 'Daar komt een man met een beer.'

Andreas schoot overeind, maar zakte teleurgesteld terug.

'Een speelgoedbeertje!'

Het was een roze beer met een witte strik om zijn nek, een domme grijns om zijn mond en een loodje in zijn oor. De man die hem vasthield, zette de beer op de stoel naast Andreas en ging zelf een stoel verder zitten.

'Goeiemiddag.' Andreas knikte naar de beer, die niks terugzei.

De man keek hem verbaasd aan en lachte toen twee rijen blinkend witte tanden bloot.

'Die meneer is vast een Antilliaan, hè Em?' fluisterde Andreas doordringend.

Emma gaf geen antwoord. Ze wierp de meneer haar hij-is-nog-maar-klein-blik toe. De man zag het niet, maar Andreas werd tóch nijdig. Wat had hij nou weer verkeerd gezegd? Kwaad pakte hij zijn rugzakje op en stootte de beer van de stoel. De meneer en hij doken er tegelijk naar, maar Andreas was sneller.

'Alstublieft.'

De meneer, die eigenlijk nog maar net een meneer was, zo jong was hij nog, mompelde iets en bekeek de beer aan alle kanten, alsof die kon breken door van een stoel te vallen. Maar het was een mooie beer als je van roze beren hield. Andreas maakte zijn rugzak open.

'Wil jij ook?' Hij hield Emma zijn zak Engelse drop voor.

Emma bloosde en wierp nog een blik naar de man. Nonchalant

stak ze haar hand in de zak en pikte er haar favoriete zwarte staaf
uit.

'Die wou ik!'

'Niet zeuren.' Toen keek ze naar zijn gezicht. 'Oké, ik neem wel een
andere.'

Andreas kauwde tevreden. 'Hoe laat is het nou?'

'Eerst je…' begon Emma.

Hij sperde zijn mond open. 'Ongelukje in de tunnel.'

Emma zuchtte. 'Bijna halftwee.'

'Tjee.' Andreas propte een ronde roze bij de zwarte staaf. De ronde roze waren minder lekker, maar altijd nog lekkerder dan de
bespikkelde. Hij keek nog eens naar de beer, die rustig op zijn stoel
zat. De Antilliaanse meneer had ook een rugzak, een stuk groter
dan die van Andreas. Andreas had ook zo'n grote gewild, maar dat
mocht niet van mamma. Handbagage moest klein zijn, anders
paste het niet in het vliegtuig, had ze uitgelegd. Daarom zaten zijn
nieuwe snorkelflippers nu in zijn koffer, terwijl hij die bij zich had
willen houden.

Hij porde Emma.

'Mag dat wel, zo'n grote rugzak?'

Ze haalde haar schouders op. De man haalde een krant te voorschijn. A-mi-goe, spelde Andreas. Wat een raar klein krantje.

Emma kreeg weer een por.

'Is dat een Antilliaanse krant?'

'Waarom ga je niet even alleen op de roltrap?' stelde Emma voor.
'En laat die drop maar hier.'

'Nou zeg je het zelf!' zei Andreas triomfantelijk.

'Wat zeg ik zelf?'

'Roltrap!'

'Ik gooi je uit het vliegtuig,' beloofde Emma. 'Of ik geef je aan die
agenten mee.'

Andreas vergat de roltrap. 'Zijn dat agenten?'

Twee mannen in uniform kwamen hun kant uit. Ze liepen op hun gemak, handen op de rug.

'Misschien zijn het wel piloten,' zei Andreas verrukt. 'Ja toch, Em, dat kan toch? Onze piloten, misschien wel!'

'Die zitten er allang in,' zei Emma. 'Die controleren nu die driehonderd klokjes en kookwekkers.'

'En of er genoeg benzine in zit, of hoe heet het.' Of een bom, dacht hij. Er záten soms bommen in vliegtuigen, dat wist iedereen. Niet in vliegtuigen die naar de Antillen gingen, zei pappa, maar dat kon je nooit zeker weten. Andreas keek nog eens naar de agenten en twijfelde. Hun uniformen klopten niet, maar ze liepen met die bedaarde tred en precies in de maat, alsof ze dat hadden afgesproken. Had een luchthaven misschien een eigen soort politie? Of *geheime* politie? Zijn snelle geest toverde hem een scenario voor van bomaanslagen die op het laatste nippertje verijdeld werden door geheim agenten die met getrokken pistool zwaarbesnorde terroristen op hun nek sprongen.

De meneer naast hem vouwde zijn krant dicht en stond op. Hij hing zijn rugzak aan één schouder en slenterde weg. Andreas keek naar de beer.

'Meneer!'

'Laat maar, joh, die man komt zo terug,' zei Emma.

De man keek op zijn horloge en versnelde zijn pas. Hij heeft vast wat vergeten, dacht Andreas. Boft-ie even dat we vertraging hebben. De man met de snor en de witte spijkerbroek stak zijn rol pepermunt in zijn borstzak en knipoogde naar hem. De dreumes huilde weer, met wijdopen mond, en trappelde met zijn beentjes.

'Dat kind stinkt,' zei Emma. 'Net zoals jij vroeger.'

'Heb jij ook gedaan,' zei Andreas onverstoorbaar.

Emma schonk hem haar haaienglimlach.

De moeder haalde een luier uit haar tas, legde het kind op de grond en begon zijn spijkerbroekje af te stropen.

De uniformen stonden met de berenmeneer te praten. De ene legde een hand op zijn arm, de andere wees in de richting van de rolloper. De man praatte en gebaarde, en de geheim agenten lachten. De ene nam behulpzaam de rugzak over en hing hem over zijn eigen schouder. Met zijn drieën liepen ze weg. Teleurgesteld schrapte Andreas zijn James Bondscène.

'Het zijn geen agenten. Ze zijn hartstikke aardig.'

Emma luisterde niet. Ze keek naar de luier. 'Dat zo'n klein kind zoveel kan poepen.'

'Kleine hondjes ook,' zei Andreas. 'Die draaien zúlke drollen.'

De moeder vouwde de vuile luier dicht en stopte hem in haar tas. 'Die neemt ze mee het vliegtuig in,' zei Emma somber. 'Als ze naast ons zitten, ga ik wel lopen.'

Andreas frommelde zijn dropzak dicht. Om hen heen begonnen mensen op te staan.

'Hè?'

'Passagiers voor vlucht nummer KL zeven-acht-negen…'

'Dat zijn wij!' Emma sprong op.

'Mijn drop!'

'Schiet nou op!'

'Wacht even,' jammerde Andreas. Hij propte de zak in zijn rugzak, friemelde met de klep. 'En mijn paspoort!'

'Dat hebben ze toch al gezien. Kóm nou.' Ze liep al, rugzak over haar schouder, tickets in haar hand.

'Ze gaan heus niet weg zonder ons, hoor!' riep hij schril.

Dat had pappa vorig jaar gezegd, toen ze laat waren voor hun vakantievlucht omdat ze in de file hadden gestaan. Toen had mamma net zo idioot gejacht als Emma nu.

Hij hees zijn rugzak op zijn stoel en probeerde het riempje door de gesp te wurmen. Vanuit zijn ooghoek zag hij iets rozigs. Hij keek van de beer, wiens grijns nu iets verlatens had, naar Emma, die tussen de mensen verdween. Die meneer was nog steeds niet terug! Die moest straks rennen om het vliegtuig te halen, en dan vergat hij natuurlijk zijn beer. En het was vast een cadeautje, misschien wel voor zijn dochtertje... Andreas greep de beer, duwde hem boven op de drop, vouwde de klep er slordig overheen en holde achter Emma aan. In het vliegtuig zou hij de man opzoeken en hem zijn beer teruggeven.

Hij was nog steeds boos toen ze in het smalle gangpad hun plaatsen zochten.

'Als ík veertien was –,' zei hij tegen Emma's rug.

'Bijna vijftien.'

'Als ik veertien was,' herhaalde Andreas, 'dan zou ik op mij gewacht hebben.'

'Negenentwintig, hier is het. Jasses, bij de vleugel,' mompelde Emma. 'Dan zie je geen klap. Wil jij bij het raampje zitten?'

'Hoeven we dan niet te ruilen?' vroeg hij secuur.

'Straks misschien.'

'En wil jij mijn riem vastmaken?'

'Zo meteen.'

'Nee, nu.'

'Eerst je rugzak in het kastje, sufferd.'

'Die wil ik bij me houden!' Opeens beefde zijn lip. 'Daar zit alles in!'

'Voor je voeten dan,' zei Emma vlug.

Hij liet de rugzak voor zijn voeten duwen, liet zich vastgespen terwijl hij met afgewend hoofd uit het raampje tuurde. Het vliegtuig gromde zachtjes, als een dier dat niet weet of het moet vluchten of aanvallen. Onder Andreas' voeten trilde de vloer.

Gisteren had hij zich hier nog op verheugd. Vanochtend nog. Spannend. De rit naar Schiphol, het gesleep met hun koffers, het gekrioel van al die jachtige mensen. Zelfs het afscheid nemen was niet erg akelig geweest. Pappa had stiekem op zijn horloge gekeken omdat hij een vergadering had, en mamma moest naar iets om voor de krant te verslaan. Ze hadden dikwijls haast. Een vluchtige knuffel, een zoen, en weg waren ze.

Andreas veegde met zijn hand langs zijn neus en haalde diep adem. Nu was het ook nog leuk, dacht hij vastberaden. En nog spannender, want nu begon het echt.

2

Roy had al spijt dat hij niet met Javier was gaan zwemmen. Hij wist hoe het thuis zou zijn; stomende pannen, mami met grote zweetplekken onder haar armen, Gina die honderduit kwebbelde en mami voor de voeten liep. Het telegram hing boven het aanrecht, zodat mami er voortdurend naar kon kijken terwijl ze Carlos' lievelingskostjes klaarmaakte.

Roy zou hem afhalen, lopend, want Carlos zou een taxi willen nemen vanaf het vliegveld. Carlos was dol op taxi's. Hij zou met dollars betalen en de chauffeur een te grote fooi geven, hij zou een speeltje voor Gina in zijn koffer hebben en voor mami een glimmend prulding, en Roy zou hij beloven dat ze samen iets gingen kopen.

Daarna zou het gaan zoals het altijd ging. Bij alles wat Roy zei of deed zou mami roepen: 'Hasi loke Carlos bisa – doen wat Carlos zegt!'

Vroeger, toen hij zo oud was als Gina nu, had hij het fijn gevonden om een oudere broer te hebben. Carlos bracht hem naar school en haalde hem weer op, en hij kon goed vechten. Als de grote jongens vervelend waren, hoefde Roy alleen maar met zijn broer te dreigen.

Maar dat was allemaal vóór Carlos van school werd gestuurd en begon te zwerven, en nog maar af en toe thuiskwam. Net zoals zijn vader; het was al drie jaar geleden dat Roy die gezien had. En áls ze thuiskwamen, deden ze net of hun neus bloedde, verwachtten dat er een bed voor hen klaarstond en een goede maaltijd, en dat hun kleren gewassen en gestreken werden, hoewel ze wisten dat mami twee baantjes had om de boel draaiende te houden.

Hij knielde om de veters van zijn nieuwe schoenen nog wat losser te maken. Het waren sportschoenen die mami voor hem had meegenomen uit de supermarkt, en al na een uur had hij het gevoel gehad dat zijn voeten erin zwommen. Als hij dan toch precies moest doen wat Carlos zei, kon hij hem misschien wel een paar fatsoenlijke schoenen afbedelen. Als Carlos geld had voor taxi's, had hij ook geld voor schoenen.

Die gedachte vrolijkte hem wat op. Nu hij niet met Javier was gaan zwemmen en op het strand rondhangen, kon hij zo meteen wel alvast zijn bed maken en verschonen en het kampeerbed in de kamer zetten, zodat mami dat niet meer hoefde te doen. Hij nam zijn schooltas in zijn andere hand en sloeg de stoffige weg naar huis in.

Gina kwam hem tegemoet rennen.

'Roy, Roy! Ami bai drumi lat! Omdat Carlos komt!'

Hij tilde haar op en gooide haar over zijn schouder. Ze gilde van angstige pret.

'Jij mag helemaal niet laat naar bed, jij gaat naar bed zodra het donker is.'

'Nò, nò! Zet mij neer, Roy! Mijn jurk mag niet vies worden.'

Hij zette haar op de grond.

'Waarom ben je zo mooi?'

'Voor Carlos toch!'

'Voor mij maak je je nooit zo mooi.'

Ze pakte zijn hand. 'Jij bent altijd maar naar school.'

'Carlos is er toch ook nooit?'

Ze keek naar hem op om te zien of hij het meende, en toen hij lachte zei ze opgelucht: 'Daarom is het toch feest vandaag?'

Binnen rook het naar geroosterd geitenvlees en karni stobá. Op het aanrecht stonden dampende schalen, zijn moeder hurkte bij de koelkast, haar haren in vochtige kurkentrekkertjes op haar voorhoofd.

'Roy! Je moet voor mij even naar de Cultimara gaan, de mango die ik had gekocht is rot van binnen.'

'Ik kom net thuis!' protesteerde hij. 'En ik heb blaren.'

Ze rolde met haar ogen. 'Ooo, niet ook dat nog! Laat me zien.'

Hij trok zijn schoenen en sokken uit en ze inspecteerde zijn voeten.

'Het zijn je sokken.' Haar stem duldde geen tegenspraak.

'Mijn sókken?'

'Ja, kijk, ze vouwen hier. Daar krijg je blaren van.'

'Maar mami, die sokken heb ik al heel lang.'

'Daarom juist!' zei ze triomfantelijk. 'Wacht, ik zal je eerst te drinken geven. Hoe was school?'

Hij haalde zijn schouders op. 'Gewoon. Mari-Anna is een dag geschorst.'

'Waarom?'

'Ze rookte op het plein. De bewaker betrapte haar.'

Ze was geschokt. 'Een meisje! Zo ordinair, no? Jij gaat niet roken, Roy, roken is duur. En slecht.'

'Ik ben het niet van plan.'

Hij was het wel van plan geweest, tot hij gemerkt had dat hij met zwemmen won van Javier, sinds die rookte.

'Hier.' Ze zette een glas ijsthee voor hem neer. 'En ga dan zo die mango kopen.' Ze veegde haar handen af aan haar rok, liep naar de deur en tuurde naar de lucht alsof ze het vliegtuig nu al verwachtte.

Gina trok Roy's schoenen aan over de hare heen en kloste erop rond.

'Mag ik mee?'

'Nee. Ik ga heel hard lopen.'

Haar lip begon te trillen.

'Jij helpt mij toch, dushi! Wat zou ik zonder jou moeten beginnen?' Hun moeder trok het lint uit haar dochters haren en strikte het opnieuw.

'Ik krijg vast een cadeautje van Carlos!' Gina lachte alweer. 'Misschien wel een pop!'

Roy zocht een nieuw koud plekje op de vloer. Zijn voetzolen lieten vochtige plekken achter op de tegels. Het zou fijn zijn als Carlos als cadeautje een nieuwe airco meebracht.

3

Thuis was de dag altijd zo voorbij. Misschien omdat je dan niet op de tijd lette, of omdat je genoeg te doen had.

Nu verveelde Andreas zich al na het glaasje sap. En hij had honger. Geen drophonger, maar echte honger.

Het opstijgen was leuk geweest, net als toen. Het vliegtuig dat over de startbaan stormde, het beton dat onder de vleugel wegschoot, het plotselinge kantelen van zijn stoel toen ze loskwamen van de grond. Daarna werd het saai. Wolken zover je kon kijken, wat niet erg ver was vanwege die vleugel, en van Engeland was niks te zien geweest. Nu zaten ze boven de oceaan, die je ook niet kon zien. Andreas had alle kanalen op zijn koptelefoon uitgeprobeerd, hij had zijn rugleuning vijf keer naar achteren en weer naar voren laten klappen, en op de televisie, die aan het plafond hing, was een film die hij niet begreep.

Hij porde Emma.

'Zullen we een spelletje gaan doen? Ik heb *Vier op een rij* meegenomen.'

Ze hield haar boek omhoog. 'Ga ook lezen.'

Maar Andreas was te rusteloos om te lezen. Hij ging achterstevoren op zijn knieën liggen met zijn kin op de rugleuning en bekeek de mensen om hen heen.

Het vliegtuig zat vol. De mevrouw met de poepluier en de dreumes zat in het midden. Twee rijen daarachter zat de man met de snor. Hij zag Andreas kijken en knipoogde weer. Andreas lachte niet. Hij vond het een akelige man, al wist hij niet waarom.

Naast de snor zat het meisje met het rode haar en de oorbellen. Pal achter Emma zat een mevrouw met een bril met glinsterende steentjes. Ze bekeek Andreas met misprijzende blik, maar misschien lag dat aan de bril. Andreas keek rustig terug. Naast de mevrouw zat een glimmendzwarte meneer de krant te lezen. Dat deed Andreas ergens aan denken.

Hij dook naar beneden, viste zijn rugzak op en haalde de beer eruit.

'Mag ik er even langs, Em?'

'Hoe kom je dáár nou aan? Andreas!' zei Emma streng.

'Ik ga hem teruggeven,' legde hij uit. 'Die meneer, weet je wel, die is hem vast vergeten. Ik dácht dat hij hem zou vergeten.'

De man zat niet in het vliegtuig. Alles wat zijn speurtocht Andreas opleverde, was een pepermuntje van de snor, die de beer aan alle kanten bekeek en een grapje maakte in een taal die Andreas niet verstond.

Voor alle zekerheid liep hij twee keer alle gangpaden door, en tuurde aandachtig naar meer dan driehonderd gezichten, maar de man met de witte tanden was er niet bij. Andreas was alweer op weg naar Emma toen hem te binnen schoot dat hij de wc's was vergeten. Hij postte een tijdje bij elk raar vouwdeurtje dat hij zag, keek zelfs in de keuken waarvan Emma zei dat die pantry heette.

'Heb je honger?' vroeg de blonde stewardess die ook hun sap had gebracht.

Dat klonk zo vertrouwd dat hij vroeg: 'Wat eten we?'

Ze begon te lachen. Als ze lachte had ze een kuiltje in haar wang. Andreas vond haar aardig.

'Je mag kiezen. Rundvlees of pasta.' Ze stapelde aluminiumbakjes op een karretje.

'Wat zit er bij het rundvlees?'

'Sperzieboontjes, tomaten, rijst.'

'Moet ik het nu al zeggen?'

'Nee hoor. Moet je naar de wc?'

Andreas schudde zijn hoofd. Hij hield de beer omhoog.

'Ik zoek een meneer.'

'Wat voor meneer?'

'Van wie deze beer is. Hij heeft hem vergeten, en hij moest ook met dit vliegtuig mee, maar ik kan hem nergens vinden.'

'Misschien zit hij boven.'

De trap! Hij was de trap vergeten.

'Ik ga wel even kijken.'

Ze stak haar hand uit. 'Laat mij maar liever gaan.'

'Mag ik daar niet komen?'

Ze aarzelde. 'Boven is business class.' Ze boog zich naar hem over. 'Daar zitten de dure passagiers,' fluisterde ze.

Andreas gaf haar de beer. 'Dan wacht ik wel hier.'

Ze was snel terug. Met de beer.

'Het ziet ernaar uit dat je een beer rijker bent geworden. Slaap je nog met beren?'

Meende ze dat nou? Maar daar was het kuiltje weer. Andreas speelde mee.

'Altijd,' zei hij ernstig.

'Dit is anders wel een meisjesbeer; jongensberen zijn blauw.'

'Ik geef hem wel aan mijn zus.'

'Ik kom zo bij jullie,' beloofde ze.

Hij gooide de beer op Emma's schoot.

'Hij zit er niet in.'

Emma pakte de beer bij een oor en strikte de strik opnieuw. De strik was al niet meer zo wit als eerst, want de zak drop had niet helemaal dichtgezeten.

21

'Wat moeten we nou met dat beest? Zullen we hem gewoon in het vliegtuig laten liggen?'

'Wat doen ze er dan mee?'

'Dan wordt hij een gevonden voorwerp. Of misschien gaat hij mee terug.'

Andreas weifelde. Hij voelde zich verantwoordelijk voor die beer. 'Maar als die meneer nou met het volgende vliegtuig komt? Dan is zijn beer intussen weer op weg naar Schiphol.'

'Kunnen ze gezellig naar elkaar zwaaien.'

'Ja maar, Em.' Diep in zijn hart vond hij het een leuke beer, al was hij dan roze. Hij was zacht, zijn oogjes stonden precies goed in zijn kop, en die malle strik gaf hem iets zwierigs.

'Dan hou je hem toch,' zei Emma luchtig.

'Maar dat is stelen!'

'Ach welnee, joh. Je bedoelde het toch goed?' Ze woog de beer op haar hand. 'Het is best een mooie. Zwaar. Hij lijkt op Tommy.'

Tommy was haar eigen beer, die nog elke nacht schaamteloos op haar kussen sliep.

'Tommy is bruin.'

'Ja, maar hij heeft dezelfde kop. Hou hem maar, Dreas. Als mascotte.'

'Wat is een mascotte?'

'Een ding dat geluk brengt.'

Een roze beer als mascotte?

'Roze hoort toch bij rood, hè?'

Emma knikte.

Rood was zijn lievelingskleur. Zijn nieuwe bermuda was rood, zijn snorkelflippers waren rood, zijn rugzak was rood. Thuis had hij rode gordijnen, een rode dekbedhoes, en al zijn pennen waren rood. Die lagen nu op een rijtje te wachten op zijn bureautje tot hij terugkwam.

'Oké.'

Hij stopte de beer terug in zijn rugzak, haalde zijn boek eruit en verdiepte zich in de avonturen van Tom Sawyer. Hij had het een paar maanden geleden uit zijn vaders boekenkast gehaald en las het nu voor de tweede keer. Er stonden ouderwetse woorden in die hij niet altijd begreep, maar het verhaal was prachtig, en hij verheugde zich al op de scène waarin Tom met zijn vrienden zijn eigen begrafenisdienst bijwoont en iedereen zit te snikken omdat ze denken dat de jongens verdronken zijn. Andreas had het boek illegaal en op het laatste nippertje in zijn rugzak gestopt. Voorin stond zijn vaders naam, in het vertrouwde handschrift.

Ze hadden gegeten, gelezen, gespeeld en opnieuw gegeten.
'Duurt het nou nog lang, Em? Hoe laat is het?'
'Je hebt toch zelf een horloge?'
'Ja, maar ik bedoel hoe laat is het op Bonaire.'
'Vijf uur aftrekken immers.'
'Dus dan is het vijf voor elf min vijf is zes.'
'Ja.'
Andreas gaapte. Hij was moe van het niksdoen. Stijf was hij ook, al had hij samen met Emma nog een rondje door het vliegtuig gemaakt. Daarna had Emma wel een uur geslapen. Andreas had ook zijn ogen dichtgedaan, maar slapen kon hij niet. Hij had aan thuis gedacht, en aan school. Het voelde net alsof hij spijbelde.
Hij kromde zijn tenen in zijn schoenen, ontspande ze weer. Zijn benen jeukten. Die wilden lopen, draven, rennen.
'We zijn er bijna,' wees Emma.
Hij keek naar de kaart op het televisiescherm.
'We zijn ook al een stuk gedaald, heb je het gemerkt?'
Hij knikte. 'Zou tante Ti er zijn?'
'Ti, niet tante. Natuurlijk, dat is toch afgesproken? Die laat ons heus niet staan, hoor.'
'Nee.' Een ogenblik was hij stil.

'We zijn nu heel ver van huis, hè Em?'

Emma keek naar hem. Hij zag wit, en hij had kringen onder zijn ogen. Ze wreef zijn haar door de war.

'Nu krijg je zo meteen je stempel.'

'O ja.' Hij leefde weer wat op. Het eerste stempel in zijn paspoort. Als ze weer thuis waren, moest hij niet vergeten om het mee te nemen naar school, voor zijn spreekbeurt over Bonaire. Hij tuurde uit het raampje. Buiten was het nog steeds licht, en de zon scheen zelfs. Raar hoor, om elf uur 's avonds. Pappa las nu de krant en mamma ging haar bureau opruimen, de was in de machine stoppen en daarna gingen ze naar bed. Hun koffers stonden ook al half ingepakt, voor de reis naar Amerika. Daar zou pappa spreken op een congres, en mamma ging mee. Em en hij konden niet mee, dat was te lastig. Daarom moesten zij, nou ja, móchten zij naar tante Titia terwijl het helemaal geen vakantie was. Titia wilde twee jaar geleden al dat ze kwamen, maar toen vond mamma hen nog te jong.

Het belletje klonk, en Emma stootte hem aan.

'We gaan landen.

4

Roy stond in de aankomsthal. Op zijn oude schoenen, maar de blaren brandden toch. Hij stond er al een uur, want het vliegtuig had vertraging. Toch was het niet vervelend, want de luchthaven, hoe bekend ook, had altijd iets opwindends. Buiten ruzieden de taxichauffeurs alvast over hun laatste dominostenen, binnen hing een geur van zweet en verwachting. Mensen groepten bijeen, kinderen renden schreeuwend rond en in de wachtruimte annex bar schetterde de televisie.

Er ging een zucht door de menigte toen iemand riep: 'Hij komt!' Halzen werden al gerekt, bordjes werden te voorschijn gehaald en kinderen tot de orde geroepen. Men luisterde naar het geraas dat aanzwol tot gedonder, afnam en weer luider werd.

'Geland,' zei de mevrouw naast hem. 'Hopi bon.'

Ze glimlachte naar hem, en Roy glimlachte terug. Een Nederlandse was het, en ze kwam hem bekend voor, met die blonde krullen boven op haar hoofd. Woonde ze in Kralendijk? Hij zou haar wel eens bij de Cultimara hebben gezien, daar zag iedereen iedereen. Of misschien ging ze op zondag wel eens naar Cai, als ze Antilliaanse vrienden had. Ze keek op haar horloge, een matzilveren vierkant horloge was het, en opeens wist hij het weer. Naar dat horloge had hij staan staren, een paar maanden geleden. Niet omdat hij het zo mooi vond, maar omdat hij niet naar haar gezicht durfde kijken. Blijkbaar herkende zij hem niet, maar toch deed hij een stapje terug. De eerste passagiers kwamen de hal binnendruppelen, en het geroezemoes werd luider.

Veel Nederlanders deze keer. Een blond meisje met helderblauwe ogen smeet haar rugzak neer en rende op de dame met de krullen af.

Met nog altijd enige verbazing keek Roy naar de lichte wimpers en wenkbrauwen. Wat moest het koud zijn in Nederland als de mensen er zo weinig kleur hadden. Javiers moeder was er geweest om een tante te bezoeken, en zij had het voortdurend koud gehad, zelfs 's nachts in bed onder drie dekens.

Het meisje ving zijn blik op, en hij lachte naar haar, maar ze draaide haar hoofd af. Roy rechtte zijn rug. Dan niet.

Een mager bruinharig joch met dezelfde blauwe ogen raapte haar rugzak op en liet zich geduldig knuffelen.

De bagageband begon te rommelen, en Roy ging eens op zijn andere been staan. Waar bleef Carlos? De vorige keer was hij een van de eersten geweest.

De dame, het meisje en de jongen liepen druk pratend naar buiten, de jongen zeulend met een koffer die te groot voor hem was. De hal stroomde langzaam leeg, auto's toeterden, en nog steeds geen Carlos. Roy liep naar buiten. Alle taxi's waren weg, Carlos zou vloeken als hij zo kwam. Aarzelend bleef hij op de stoep staan. Ik loop tot de telefooncel, dacht hij, en als ik weer naar binnen ga, is hij er.

Maar hij was er niet. Een eenzame koffer draaide rondjes op de bagageband. Een rode sticker, versleten leren riem, met metaal versterkte hoeken… Opeens had Roy moeite met ademhalen. Dat was Carlos' koffer! Carlos had wel degelijk aan boord moeten zijn. Was hij ziek, was er een ongeluk gebeurd? Hij keek om zich heen.

Er liep een oudere man in uniform, het beige overhemd smetteloos, de bruine broek in een messcherpe vouw. Roy ging naar hem toe.

'Bon nochi,' zei hij beleefd. 'Ik zoek mijn broer, hij had in het vliegtuig moeten zitten.' Hij wees. 'Dat is zijn koffer.'

De man lachte en spreidde zijn handen. 'Vliegtuig gemist.'

'Maar…'

'Dat gebeurt vaker dan je denkt, boy.'

'Maar hoe kan zijn koffer dan wel meegekomen zijn? Die moet hij toch eerst…'

'Mensen vallen in slaap terwijl ze wachten, no? Of ze gaan een hapje eten, of een glaasje drinken.' Weer een grijns. 'Of twee glaasjes.'

'Ja maar…'

'Kom morgen terug, morgen is iedereen er, morgen weten ze meer.'

'Masha danki.' Woedend draaide Roy zich om.

De schalen werden afgedekt en in de koelkast gezet, Gina werd getroost met extra mangoschijven en naar bed gebracht, zijn moeder wrong haar handen.

'Wat is er gebeurd, Roy, wat kan er gebeurd zijn?'

Roy schopte zijn schoenen uit, stroopte zijn sokken af, bekeek zijn blaren.

'Ik weet het niet, mami, hoe kan ik dat weten?'

'Heb je wel lang genoeg gewacht? Misschien gewoon iets met zijn paspoort, no? Je weet hoe die douane-lui zijn, altijd moeilijk doen over een stempeltje. Misschien staat hij daar nu op jou te wachten!'

Roy probeerde zijn geduld te bewaren.

'Ik heb gewacht tot iedereen weg was. De eerste taxi kwam alweer terug. Die had hij heus wel genomen, en dan was hij eerder thuis geweest dan ik. Hij was er niet, mami.'

'Heb je gevraagd?'

'Natuurlijk heb ik gevraagd. Vliegtuig gemist, zeiden ze. Dat gebeurt vaker.'

'Hoe kan hij het vliegtuig gemist hebben als zijn koffer er is? En wat gebeurt er met zijn koffer?'

Roy haalde zijn schouders op. 'Kom morgen maar terug, zei die man.'

Ze gooide haar armen in de lucht. 'Zonen! Mannen! Niets dan ellende heb je ervan! Zij doen maar, no? Zonder zich af te vragen wat een moeder voelt.' En toen vastbesloten: 'Morgen ga ik zelf.'

'Morgen moet mami werken,' herinnerde hij haar voorzichtig.

'Kan mij niet schelen!' Met driftige rukjes trok ze de spelden uit haar haar. 'Ik ga naar de buren om te bellen. En daarna ga ik naar de airport. Ik zeg dat ik niet kan komen. Ik zeg dat ik zijn koffer wil.'

Roy schudde zijn hoofd. 'Die geven ze niet. Die bewaren ze tot...'

'Tot?'

'Tot hij komt. Of tot hij erom vraagt,' eindigde hij slapjes.

Ze stond op en las voor de honderdste keer het telegram.

'Ga jij naar bed,' zei ze met haar rug naar hem toe. 'Jij moet morgen weer naar school.'

'En mami?'

Ze ging zitten en vouwde haar handen in haar schoot. Haar ogen dwaalden naar de foto op de kast.

'Ik wacht.'

Misschien was er gewoon iets tussen gekomen, dacht Roy toen hij in zijn eigen gerepareerde en verschoonde bed lag. Dat was eerder gebeurd. Een jaar, anderhalf jaar geleden? Toen belde Carlos een paar dagen later de buren met een verhaal over dringende zaken die hij moest afhandelen.

Hij gooide het laken van zich af en draaide zich op zijn zij.

Maar toen had zijn koffer niet in het vliegtuig gezeten.

5

De lucht rook naar zeewier en schelpen en viel als een warme deken over hen heen.

De luchthaven was roze geverfd. De hemel was hetzelfde roze, doorschoten met goud en donkerblauw – de zon was net ondergegaan.

Andreas likte langs zijn lippen. Zout. Hij porde Emma, die voor hem de vliegtuigtrap afliep.

'Ik ruik de zee!'

Onder aan de trap bleef Emma staan, greep hem om zijn middel en zwierde hem rond. Ze lachte, haar overhemd wapperde, haar haren waaiden om haar gezicht.

'Het wordt heerlijk, Dreas!'

Verdwalen kon je niet, want het luchthavengebouw was niet groter dan een flinke supermarkt. Ze sloten aan in de rij voor de paspoortcontrole, en Andreas hield de douanebeambte in de gaten. Gerustgesteld zag hij hoe in elk paspoort een stempel werd gezet. Emma kreeg een flitsende glimlach, hij een vriendelijk 'bon bini!' Met een klap belandde het stempel in zijn paspoort, en hij voelde zich een wereldreiziger toen hij achter Emma aanliep naar de transportband om op hun koffers te wachten.

Achter het hek werd geroepen en gezwaaid, donkere gezichten glansden, een troep kinderen kwetterde rond een hondje, mensen hielden bordjes omhoog met namen erop. Caribbean Hotel, Kadushi Apartments. En daar stond Titia; felgele broek, zwart hemdje, en haar krullen als een vogelnestje boven op haar hoofd.

'Em! Andreas!'

'Hoi!'

Emma liet haar rugzak vallen en vloog op haar af. Andreas raapte hem op. Wie was hier nou de oudste?

'Dag jochie.' Omdat ze zo op mamma leek liet hij zich zoenen en vertellen hoe groot hij geworden was.

'Hoe was de reis?'

'Lang,' zei Emma.

Titia lachte. 'Zodra we thuis zijn, mogen jullie onder een lauwe douche.'

'Ik wil een koude,' zei Emma. 'Ik plak.'

'Ik ook,' zei Andreas blij.

'Koud water hebben we nooit,' legde Titia uit. 'Het is altijd lauw. Maar dat geeft niet, want lauw is beter om af te koelen. En warm kan niet, want er is iets niet in orde met de boiler.' Ze lachte weer. 'Er is hier vaak iets niet in orde, maar dat hoort er allemaal bij. Hoe is het thuis?'

'Je moet de groeten hebben.' Emma haalde een elastiekje uit de zak van haar spijkerbroek en bond haar haren bij elkaar tot een blonde paardenstaart. Achter het hek volgde een jongen van een jaar of vijftien haar bewegingen met belangstelling en lachte toen hij zag dat ze naar hem keek. Emma kleurde en ging met haar rug naar hem toe staan.

Andreas keek naar buiten. 'Het is al donker,' zei hij verbaasd.

'Dat gaat hier heel vlug,' vertelde Titia. 'De schemering duurt nauwelijks een halfuurtje.'

'Ik ga kijken of onze koffers er al zijn.' Andreas schoot terug naar de transportband, waarop de eerste koffers langsbonkten. De man met de snor kwam naast hem staan, en toen Andreas een poging deed hun grote blauwe koffer van de band te sjorren, schoof de man hem opzij en tilde de koffer eraf. Andreas zag hoe hij het adreslabel omdraaide en las. Andreas tikte hem op de arm. 'Die is van ons,' zei hij beleefd.

De man gaf hem de koffer, knipoogde, viste een bruine koffer van de band en begroette een man met een zonnebril. Andreas keek hem na. Die vent was niet goed snik. Wie vergiste zich nou in een blauwe en een bruine koffer?

Op de stoep stonden klapstoeltjes en tafeltjes met dominostenen erop.

'Van de taxichauffeurs,' zei Titia. 'Als ze geen klanten hebben, spelen ze domino. Kom, de auto staat daar.'

Andreas porde Emma. 'Palmen!'

Ze propten de koffers en zichzelf in Titia's koekblik en rammelden de weg op, rakelings langs een taxibusje. De chauffeur werd niet boos, maar grijnsde en riep iets. Titia riep iets terug.

Andreas klopte op haar rug.

'Wat betekent bombini?'

'Niet bom bini, maar bon bini. Dat is Papiaments.'

'Dat weet ik wel,' zei hij ongeduldig. 'Maar wat betekent het?'

'Welkom.'

'En hoe noemde die man jou?'

'Welke man?'

'Van dat busje.'

'Dushi. Dat betekent zoiets als liefje, of schatje.'

Bon bini, dushi, dacht Andreas. Nu kende hij al drie woorden.

Ze reden een stuk rechte weg af, maakten een paar bochten en waren in Kralendijk.

'Zijn we er nu al?' vroeg Andreas toen Titia achteruit een oprit indraaide en de motor afzette.

'Op Bonaire is alles dichtbij,' zei Titia. 'Deze auto is eigenlijk onzin. Ik zou een scootertje moeten hebben, maar ik ben te lui om erachteraan te gaan. En voor de boodschappen is dit handig. Het is te heet om die lopend te doen.'

Binnen zoemde de airconditioning en was het bijna koud. Emma trok haar spijkerbroek los van haar bovenbenen.
'Mag ik meteen onder de douche?'
'Ga samen,' stelde Titia voor. 'Dan schenk ik intussen iets koels in. En hebben jullie honger?'
'Ik niet.'
'Ik wel,' zei Andreas. 'En ik wacht wel tot zij klaar is.'

Met in de ene hand een groot stuk pandushi – een kruising tussen krentenbrood en cake – en in de andere een beslagen glas cola drentelde hij rond. Blauwe tegels op de vloer, lichte houten meubels, in de hoek een enorm televisietoestel.
'Waarom zitten de deuren dicht, Ti?'
'Tegen de muggen. En omdat de airco aan is. Maar je mag best naar buiten, hoor.'
Hij stapte het terras op en keek rond in de tuin die geen tuin was maar toch ook weer wel. In een hoek stond een bananenboom, een hibiscusstruik met grote dieproze bloemen was op weg naar de dakrand, een rij smalle hoge cactussen met lange, vlijmscherpe stekels vormde het hek.
'Morgenochtend komen de hagedissen,' zei Titia. 'Ik voer ze pandushi, dat vinden ze lekker.'
Andreas wees naar een schaaltje suiker dat op de tuintafel stond.
'Is dat ook voor de hagedissen?'
'Voor de suikerdiefjes. Dat zijn vogeltjes die een beetje op een kanarie lijken. Eigenlijk heten ze chibi-chibi. Dat is het geluid dat ze maken.'
Andreas dronk zijn cola. 'Wij moeten mamma nog bellen. Dat we goed zijn aangekomen.'

Titia keek op haar horloge. 'Het is in Nederland al bijna vijf uur 's nachts. Wilde ze dat echt?'

Hij knikte.

'Zullen we wachten tot Emma klaar is?'

'Goed.' Opeens wilden zijn benen hem niet meer dragen, en hij liet zich in een stoel ploffen.

Ze streek hem over zijn haar. 'Zullen we jouw douche maar tot morgen uitstellen? Jij valt om.'

Hij knikte weer en gaapte tot de tranen hem in de ogen sprongen. 'Morgen vind je het hier fijn,' troostte ze. 'Het is nooit leuk om ergens in het donker aan te komen.'

'Ik voel me nog niet zo erg bon bini,' mompelde Andreas. Zijn ogen vielen dicht, en haar schaterlach hoorde hij nauwelijks.

6

De hagedissen lustten ook pandushi als Andreas het hun aanbood, en de wereld leek gloednieuw. Boven hun hoofd was de hemel blauwer dan blauw, met wattige witte wolken. De zilte wind aaide langs hun gezicht, de bananenboom ruiste.

'Geef mij eens een stukje?'

Emma lag op haar knieën, en de hagedis klom vliegensvlug langs haar dij omhoog en slingerde zich om haar pols, de naaldfijne vingertjes vertrouwelijk in de palm van haar hand. Nuffig pikte hij de kruimels op, kop scheef, kraaloogjes strak op haar gericht.

'Hij kriebelt!'

Titia zette een blad met ontbijtspullen op de tafel.

'Wacht maar tot Boris komt, die krabt.'

'Boris?'

'De grootste van allemaal. Hij is hondsbrutaal, en de kleintjes zijn een beetje bang voor hem. Hij is laat vandaag, meestal is hij de eerste, en dan moet ik hem wegduwen, anders eet hij alles alleen op. O, daar is hij al.'

Boris was ruim veertig centimeter lang, had een knalgroene staart, at in zijn eentje een halve snee pandushi en kreeg als toetje een schijfje mango. Voldaan verdween hij tussen de cactussen.

Titia gaf Andreas een duwtje. 'Daar zit een suikerdiefje, nee daar, op die hoge.'

Op de hoogste cactus zat een geel propje. Met wijdopen snavel snerpte het door de stille lucht.

'Als we heel rustig zijn, komt hij op de tafel zitten,' vertelde Titia.

Emma keek niet naar het vogeltje, ze keek naar een jongen die op de weg voorbijliep. Hij droeg een versleten spijkerbroek en een hagelwit T-shirt, waar zijn armen en nek scherp bij afstaken. Een ouderwetse, uitpuilende schooltas had hij keurig bij het hengsel vast. Hij groette aarzelend, en Emma stak gul een arm op en zwaaide.

'Zo zo,' zei Titia. 'Jij maakt snel vrienden.'

'Ik zag hem gisteren op de luchthaven,' verdedigde Emma zich. Ze keek de jongen na. Hij hield zijn bovenlijf heel recht en liep met lange soepele passen. Titia knipoogde naar Andreas.

'En voel jij je ook al een beetje bon bini?'

Andreas lachte. Hij sprong op en verdween naar binnen. Toen hij terugkwam had hij de roze beer onder zijn arm en zijn flippers aan.

'Ben je nou haast klaar, Em?'

'Moest jij niet onder de douche?'

Minachtend schudde hij zijn hoofd. 'Ik ga toch zwemmen!'

'Hoe oud ben jij ook alweer, Andreas?' vroeg Titia voorzichtig.

'Negen en een half.'

Emma grijnsde. 'Die beer is niet van hem, hoor. Die heeft hij gejat op Schiphol.'

'Niet gejat, meegenomen!'

'Is dat niet hetzelfde?' vroeg Titia.

Andreas zette de beer op de tafel en legde het uit. 'En ik dacht, misschien kan ik hem toch beter hier op de luchthaven afgeven.'

Titia haalde haar schouders op.

'Ik kan me niet voorstellen dat iemand moeite gaat doen voor een beertje. Het is niet zo'n dure. Zulk soort beren zijn hier ook wel te koop.'

Emma stak de beer een afgevallen roze bloem achter zijn oor. 'Zo ziet hij er een stuk exotischer uit.' Ze gooide de beer naar Andreas' hoofd. Hij bukte, en de beer landde in de hibiscusstruik en bleef hangen aan een tak, bijna schuilgaand onder de vracht bloemen.

'Ga je nou eindelijk mee zwemmen?'

35

De zee was diepblauw in de verte, lichtend turquoise langs het verlaten strandje met het gammele houten piertje. Er was een trapje in de betonnen kademuur uitgehouwen, maar ze sprongen ernaast in het warme zand.

Andreas had zoveel haast dat hij zijn bermuda probeerde uit te trekken over zijn flippers heen. Ze smeten hun kleren op een hoopje in de schaduw van de enige boom die er stond.

'Wedden dat ik er het eerst in ben?'

'Wacht, Dreas, er zijn rotsen, zei Ti.'

Emma rolde haar kleren in haar handdoek en rekte zich uit. 'Waar is mijn bril?'

'Hier.'

Ze schoven hun duikbril op hun voorhoofd en stapten het water in. Voorzichtig schuifelden ze over de scherpe rotspunten tot ze tot hun middel in het water stonden.

'Ik kan gewoon nog mijn voeten zien!' Verrukt bekeek Emma haar bleke tenen in het glasheldere water. Ze kreeg een guts over haar rug, verloor haar evenwicht en viel voorover.

'Rotjong!'

Gierend ploeterde Andreas voor haar uit, zijn flippers dwaas boven het water uitstekend.

'Het is warm!'

'Badwater!' gilde Emma terug. Ze schoof haar bril over haar ogen, stak het mondstuk in haar mond en liet zich drijven. Ze greep Andreas bij zijn arm en wees.

Onder hen schoten geelzwart gestreepte visjes heen en weer.

'Daar!' gorgelde Andreas.

Bij een van de palen van het piertje graasde een grote vis, blauw, knalroze, groen. Ze naderden hem voorzichtig. Emma haalde het pijpje uit haar mond en dook.

'Een papegaaivis. Je kunt hem hóren eten,' fluisterde ze toen ze weer bovenkwam. 'Volgens mij heeft hij tandjes.'

Ze dook weer, en Andreas zuchtte. Hij kon behoorlijk zwemmen, maar duiken lukte nog niet best. Misschien leer ik het hier, dacht hij. Je kunt vast wel van het piertje duiken.

Bijna een uur dreven ze rond, hun gezichten in het water, elkaar aanstotend als ze wéér een nieuwe vis zagen. Ronde platte waren er met tijgerstrepen, lange kobaltblauwe, een school slanke zwarte die rakelings langs hun benen flitsten, dikke zilvergrijze met zoenlippen.

Ten slotte spuugde Emma haar mondstuk uit. 'Zullen we teruggaan? Ik geloof dat ik aan het verbranden ben.'

Andreas bekeek haar rug. 'Je bent knalrood!'

'Echt?'

'Sufferd,' zei Andreas. 'Mamma had je nog zó gewaarschuwd.'

Jaloers bekeek ze zijn rug. 'Jij wordt al bruin.'

Ze waadden naar het strandje.

'Zullen we even door het dorp lopen?' vroeg Andreas vanonder zijn T-shirt.

Emma schudde haar hoofd. 'Ik moet factor duizend op mijn rug. En we zouden toch met Ti boodschappen gaan doen?'

Ti mopperde en smeerde. 'Ik had je gezegd je shirt aan te houden.'

'Vergeten. Au!'

'Je bent te blond. Wil je een oud shirt van mij lenen?'

'Heb ik bij me. Au!'

'Als het vanavond nog zeer doet, leg ik er wel schijfjes komkommer op. Zal ik die boodschappen even alleen doen?'

'Ik wil mee!'

'Ik ook,' zei Emma. Ze kwam overeind en trok een gezicht. 'Volgens mij is mijn vel twee maten gekrompen.'

'Pas maar op dat je hersens niet smelten,' zei Andreas.

Titia trok zijn shirt omhoog en inspecteerde zijn rug. 'Jij bent net je vader. Die hoeft ook zijn neus maar in de zon te steken of hij is al bruin. Gaan we met de auto of lopen we?'

'Lopen,' zei Andreas. 'En mogen we naar het fort? In dat boekje van pappa stond dat er een fort was.'

'Op de heenweg dan. Terug met die zware tassen is het te heet.'

Het fort was oranje en heette Fort Oranje, en ze konden er niet in. Er stond een hek waar een bord aan hing. Andreas las het aandachtig.

'Ik denk dat ik wel weet wat "restaurashon" betekent.'

'Wat dan?'

'Dat het gerestaureerd wordt,' zei hij triomfantelijk. Hij tuurde tussen de spijlen door. 'Ze hebben ook kanonnen!'

'Wat is het klein,' zei Emma verbaasd.

Titia lachte. 'Er zat ook maar een handjevol mensen in. In die tijd werd honderd man al een leger genoemd. En veel viel er goedbeschouwd niet te verdedigen.'

Emma keek naar de paar kanonnen. 'De lopen staan allemaal naar zee gericht.'

'Om te voorkomen dat vijandelijke schepen zouden landen.'

'Maar als ze nou van de andere kant van het eiland kwamen?'

'Dat deden ze niet. Dat is de noordkant, en daar is de zee te woest om aan land te kunnen komen. De schepen zouden op de rotsen te pletter geslagen worden.'

'Dus wij staan nu met onze neus in de richting van Venezuela?'

Titia knikte. 'Dit is de lijzijde. De noordkant is nauwelijks bewoond, want er is niks. We zullen er een keer naartoe rijden.'

'Ik heb dat boekje ook gelezen,' zei Emma. 'En ik begreep eigenlijk niet waarom de Hollanders de Antillen zo graag wilden hebben.'

'Omdat ze ze niet aan de Spanjaarden gunden,' zei Titia nuchter. 'En vergeet niet dat het een plek was om vers fruit en groente in te nemen terwijl ze op doorreis waren. En fris water, natuurlijk. Bonaire heeft een paar zoetwaterbronnen.'

Ze slenterden door het dorp, zich verbazend over de vrolijk geverf-de Hollandse geveltjes, over de langzame tred van de dorpelingen, over de straatnamen. Plaza Reina Wilhelmina, Kaya Grandi, Kaya Isla Riba.
In de Cultimara supermarkt was het alleen koel op de afdeling waar vlees, fruit en groente lagen uitgestald. Andreas porde Emma.
'Kijk daar eens?'
Een enorme kakkerlak schoot weg onder de broodtoonbank.
'Getver.'
'Ze doen niks, hoor.' Titia keek in haar karretje. 'Fruit, vlees, groen-te, brood,' murmelde ze. 'Pindakaas, stroop, koekjes, boter, fris, thee. Ik lijk wel een weesmoeder. Zullen we gaan?'

De zon schroeide hun benen en Emma nam de tas in haar ande-re hand.
'Ik begrijp nu waarom jij alles met de auto doet.'
Andreas zei niets. Het plastic draagtasje met fris brandde in zijn handpalm, en hij zette het op zijn schouder.
'We zijn er bijna,' troostte Titia.
Ze sloegen de laatste hoek om. Stof wolkte op toen een rode auto langsscheurde. Andreas hoestte en veegde het zweet uit zijn wenk-brauwen.
'Waarom liggen er geen straatstenen in jouw straat? Of zijn ze nog niet klaar?'
'Ze hebben bestrating beloofd, maar dat is al een jaar geleden. Mis-schien volgend jaar, als er weer verkiezingen zijn. Als het geregend heeft is het één grote modderpoel. Gaat het nog?'
'Ja hoor.'

Hij zette de tas op de tuintafel terwijl Titia de deur openmaakte.
'Jullie krijgen ijsthee,' beloofde ze. 'Vanochtend vers gezet.'
Emma liep achter haar aan de kamer in. 'Wat is het hier warm. Is
de airco niet aan?'
'Jawel, maar ik denk dat jullie het raam open hebben laten staan
in de slaapk… O néé!'

De slaapkamer lag bezaaid met glasscherven. De koffers, die ze nog
maar half hadden uitgepakt, stonden op de bedden, open, leeg.
Kleren, toiletspullen, boeken en spelletjes lagen her en der ver-
spreid. De bedden waren afgehaald, de deur van de kast stond
open, de laden van het nachtkastje waren uitgetrokken.
'Godsamme,' zei Andreas.
'Jullie paspoorten!'
'Die liggen hier.' Emma hield ze omhoog.
'Mijn geld!' Titia rende naar de kamer, rommelde in haar bureau-
tje.
Emma en Andreas keken rond. De kastjes boven het aanrecht
stonden open, in de kleine boekenkast leunden de boeken schots
en scheef tegen elkaar, de kussens van de bank lagen op de grond.
Titia ging op de kale bank zitten.
'Ik snap het niet; zelfs mijn bankpasje is er nog.'
'Sta je soms rood?' informeerde Emma.
Titia begon te lachen, en toen ze haar verbaasd aanstaarden, lach-
te ze nog harder.
'Vind je het niet erg?' vroeg Andreas.
'Niet als er niets weg is,' hikte ze. 'Ik wou maar dat ze de televisie
hadden meegenomen, dan had ik eindelijk een nieuwe kunnen
kopen. De buurman heeft me gewaarschuwd dat ik tralies voor de
ramen moest laten zetten, maar ik dacht dat het zo'n vaart niet
zou lopen.'
'Dat doet het ook niet,' zei Emma nuchter.

'Je hebt gelijk.' Titia lachte nog. 'Zullen we eerst de boodschappen opruimen? Straks loopt het vlees uit zichzelf naar de koelkast. Dan bel ik daarna de politie.'

7

De man wachtte hem op toen hij uit school kwam. Roy had met Javier willen gaan zwemmen, maar Javier moest naar het verjaardagsfeest van een tante. Op het plein had Roy nog even onder de palm staan praten, en toen hij zijn pasje aan de bewaker had laten zien en de poort uitslenterde, stond daar de man.

'Roy Buchiri?'

'Ja,' zei Roy verbaasd.

'De groeten van Carlos.' De man droeg een donker pak waarvan de broek in een dubbele knik op zijn schoenen hing. Zijn witte overhemd stond open tot ruim onder zijn borsthaar. Hij had een zonnebril op, zodat Roy zijn ogen niet kon zien. Hij lachte om Roy's verbaasde gezicht. Op een voortand blonk goud.

'Is Carlos er?' vroeg Roy opgewonden. Meteen besefte hij dat dat niet kon.

'Ik bedoel, hebt u hem gesproken? Wanneer komt hij?'

'Wanneer hij komt...' De man liet een stilte vallen, en Roy bewoog onbehaaglijk zijn schouders. Wat deed die vent raar.

'Wat zei hij?' drong hij aan.

'Ik heb hem niet gesproken.' Het goud glinsterde. 'Dat was een beetje lastig. De baas heeft me gebeld. En de baas gaf me jouw naam.'

De baas? Welke baas?

'Is Carlos nog in Nederland?'

De man knikte. 'En daar blijft hij voorlopig, ben ik bang. Daarom moet jij iets voor mij doen.'

'Zijn koffer ophalen?'

De man schudde het hoofd. 'Wat wij nodig hebben, zit niet in zijn koffer. Hij is wel stom, maar zó stom nu ook weer niet.'

Roy aarzelde tussen kwaad worden of negeren. Hij keek in de spiegelende glazen. 'Wie is zijn baas dan?'

'Laten we zeggen dat hij handelaar is.' De man knikte alsof hij tevreden was over het woord. 'Handelaar,' zei hij nog eens. Hij gebaarde naar een rode auto die een eindje verderop stond geparkeerd. 'Kom, wij gaan een stukje rijden.'

Roy bleef staan. 'Ik ga niet met u mee.'

Een hand werd op zijn arm gelegd. 'Jij stapt in, en daarna praten we verder, no?'

Ze stonden in de volle zon, maar Roy voelde hoe de haartjes in zijn nek overeind kwamen. Hij keek om naar de bewaker, maar die verdween net in de school.

'Ik doe het niet!'

Een dikke vrouw met blauwe clipjes in haar haar schommelde langs. Ze keek meewarig naar de man en schudde haar hoofd, alsof ze wilde zeggen dat vaders tegenwoordig heel wat met hun zonen te stellen hadden.

De hand dwong hem te gaan lopen. 'Ik breng je naar huis, nou ja, bijna naar huis, en onderweg leg ik het je uit. Je zult zien dat je er dan heel anders over denkt.'

En nu zat hij in de deuropening met een knarsende hoofdpijn en met zijn schooltas nog steeds ongeopend naast zich.

Hij keek naar Gina, die op het erf met haar poppen speelde. Zijn moeder was 's ochtends in alle vroegte naar de luchthaven gegaan, maar had Carlos' koffer natuurlijk niet meegekregen. Die ging terug naar Nederland, dat was alles wat men haar kon vertellen. Roy kon nu wel raden door wie die koffer was opgevraagd, net zoals hij nu wist waarom Carlos niet gekomen was.

Ongerust en in de war was ze gaan werken. Ze werkte 's ochtends bij een Nederlandse familie en 's middags in de supermarkt. Roy haalde iedere middag Gina op bij de buurvrouw die op haar paste.

Gina kwam naar hem toe met een lapje in haar hand.

'Roy,' vleide ze. 'Wil jij mijn pop verbinden?'

Hij knelde de pop tussen zijn knieën. 'Waar?'

'Daar,' wees Gina. 'Ze heeft een gat in haar hoofd.'

Roy draaide het lapje om de poppenkop en legde er een knoop in. 'Zo?'

'Hopi bon!' riep ze blij. 'Jij was de dokter, hè Roy? Jij was een heel knappe dokter, en ik was de moeder en ik kwam bij jou met mijn kind met een gat in haar hoofd.'

Hij knikte naar het andere popje. 'Moet die ook?'

'Nee, dat is de vader. Die slaapt natuurlijk. Wil jij op mijn kind passen? Ik moet eten kopen.'

Ze raapte een plastic tasje van de grond en huppelde het erf af.

Roy vloog overeind. 'Gina!' riep hij scherp. 'Wanta, wanta! Niet op de weg!'

De man had gelijk gehad. Hij dacht er nu heel anders over.

8

Ti's buurman was gekomen, op pantoffels en met een houten pijp-je tussen zijn lippen geklemd. Hij had de slaapkamer bekeken, ver-klaard dat het 'hopi rommel' was, een stuk board voor het kapot-te raam getimmerd en zijn gerimpelde hoofd geschud.

'Het zijn die jongens,' zei hij met overtuiging. 'Ze hangen rond en vervelen zich. Vroeger, toen hadden ze geen tijd voor zulke stre-ken, toen moesten ze hard werken. Maar nu zitten ze allemaal veel te lang op school en leren meer dan goed voor hen is, no? Of ze gebruiken drugs en hebben hopi geld nodig. U moet een hond nemen. Een volgende keer…'

Hij klakte met zijn tong en kneep zijn zwarte kraaloogjes dicht bij de gedachte aan wat er een volgende keer zou kunnen gebeuren. Zelf had hij een lobbes van een hond die de hele dag op het erf lag te slapen.

Maar Ti had gelachen. 'Ik woon hier nu bijna zes jaar, en ik heb me nog nooit onveilig gevoeld.'

Emma en Andreas zaten er zwijgend bij. Iets van de glans was weg. Ti merkte het.

'Ik moet op de politie wachten en een nieuwe ruit regelen, maar het is voor jullie helemaal niet leuk om daarbij te moeten zitten. Weet je wat? Jullie nemen je zwemspullen mee, en geld, en jullie gaan eerst een lekker ijsje kopen daar in dat overdekte straatje, weet je wel? En daarna zwemmen.'

Ze duwde hen praktisch de deur uit.

'Een ijsje kopen!' zei Emma met strakke lippen. 'Alsof ik een kind ben.'

'Ik heb wel zin in een ijsje.' Andreas zwaaide met zijn flippers.

'Ik wil op een terras zitten,' zei Emma obstinaat. 'Aan de kade is er een.'

'Hebben ze daar ook ijs?'

'Natuurlijk hebben ze daar ijs.'

Op de kade was haar boze bui al gezakt.

'Daar wil ik.'

Ze klommen een trapje op, lieten zich neer op rieten stoelen onder een parasol en bestelden ijs.

'Kijk daar eens, Dreas.'

Er liep een vrouw langs met twee boodschappentassen in haar handen en een kleurige vogel op haar schouder.

'Een papegaai!' zei Andreas. 'Ja hè, Em?'

Ze knikte. 'Of misschien zo'n – hoe noemde Ti die ook alweer? Troepiaal.'

'In het park zitten ze ook. Als we daarnaartoe gaan, mag ik Ti's kijker lenen.' Vergenoegd lepelde hij zijn ijs.

'Ik snap het niet,' zei Emma.

'Wat niet?'

'Die inbraak.' Emma, vergetend dat ze geen kind meer was, liet haar rietje borrelen. 'Als ze geen geld wilden, geen paspoorten, geen cheques, geen televisie, geen stereo, wat wilden ze dan wel?'

Andreas' lepel bleef in de lucht hangen. 'Misschien wílden ze wel geld, maar kwam er iemand. Of de hond van de buurman begon te blaffen.'

'Die hond is allang dood,' zei Emma. 'Alleen weet hij het zelf nog niet. En ze hebben alles flink overhoop gehaald, dus ze hadden tijd genoeg. Ik vind het raar.'

Andreas liet ook zijn rietje borrelen. 'Misschien wáren het wel jongens. Bij ons gebeurt dat toch ook? Weet je nog van mamma's auto? Toen hadden ze zomaar voor de lol een deuk erin geschopt en de buitenspiegel afgebroken.'

'Dat doe je in tien seconden,' zei Emma. 'Bij Ti zijn ze volgens mij minstens tien minuten binnen geweest. En er was niks kapot. Hee!'

'Wat is er?'

'Daar heb je die jongen weer.'

'Welke jongen?'

'Die van de luchthaven. Goh, het is echt klein hier, je ziet om de haverklap dezelfde mensen.'

Aan de overkant, langs het water, slenterde een jongen voorbij, een klein meisje aan zijn hand. Andreas bekeek hem ongeïnteresseerd. De jongen zag hen ook. Hij snauwde iets tegen het kleine meisje toen dat plotseling wilde oversteken.

'Misschien is hij toch niet zo aardig,' mompelde Emma. 'Als hij zijn kleine zusje afbekt.'

'Hoe weet je dat het zijn zusje is?'

'Je neemt toch niet vrijwillig andermans zusje op sleeptouw?' Ze trok hem aan zijn oor. 'Ik kan het weten, ik zit al jaren met jou opgescheept.'

Andreas keek naar zijn glas dat eruitzag alsof hij het had schoongelikt.

'Zullen we gaan zwemmen? Ik heb het stikheet.'

Ze zaten op het piertje met hun benen bengelend boven het water en voerden de crackers die Emma in haar tas had gevonden aan de papegaaivis. Andreas porde Emma.

'Daar komen de zwarte.'

Hij verkruimelde een cracker en ze keken toe hoe de zwarte visjes elkaar verdrongen. De papegaaivis gleed weg en verschool zich achter zijn houten paal.

'Hij woont hier,' zei Andreas.

'Wonen?'

'Vissen hebben een vaste plek,' legde hij uit. 'Ze zwemmen niet zomaar wat rond.'

Emma staarde dromerig naar de zee. 'Ik snap nu waarom Ti hier nooit meer weg wil.'

Maar Andreas was met andere dingen bezig.

'Kun jij me leren duiken, Em? Je kan toch wel van dit piertje duiken?'

Ze stond al. 'Tuurlijk kan ik dat.'

Ze nam een aanloopje en schoot als een streep het water in. Lachend kwam ze boven.

'Die papegaaivis heeft daar een nest gebouwd!'

Een moment dacht hij dat ze het meende. Toen gooide hij de laatste crackerkruimels naar haar hoofd.

'Heb je nou gezien hoe ik het deed?'

'Je ging te vlug,' klaagde hij. 'Je moet het langzamer doen.'

'Duiken kan niet langzaam. Wacht, ik doe het nog een keer.'

Ze zwom naar de kant en liep het piertje weer op.

'Let op.'

Haar rode badpak flitste.

'Je ging weer te vlug!'

Ze draaide zich op haar rug en liet zich drijven.

'Ga eens staan? Armen boven je hoofd, benen tegen elkaar.'

Andreas wurmde zijn flippers uit, ging staan, kruiste zijn armen boven zijn hoofd, kruiste zijn benen.

'Weet je wat ik nu ben?'

'Nou?'

'Een toffee!'

Ze lachte zo hard dat ze zonk. Andreas liet zich vallen, greep haar been en trok haar opnieuw onder water.

Proestend kwamen ze boven. Emma streek haar haren naar achteren.

'Kijk eens, we hebben visite.'

De jongen en het kleine meisje zaten op de pier. Het meisje knelde een pop onder haar arm en riep iets met een hoog stemmetje. De jongen schudde zijn hoofd.

'Hoi,' zei Andreas joviaal.

De jongen keek hem een ogenblik verbaasd aan, en groette toen terug.

'Bon tardi.'

Emma lachte stralend. 'Hallo.'

Ze waadden naar de kant en liepen de pier op.

'Let op,' zei Emma. 'We doen het samen. Armen boven je hoofd, voeten bij elkaar.'

Ze doken.

Toen Andreas bovenkwam, zei de jongen: 'Je benen moet je recht houden.'

Andreas bleef watertrappen. 'Dat weet ik wel, maar dat is zo moeilijk. Doe jij het nog eens, Em?'

'Ik blijf niet aan de gang.' Maar ze klom over de stenen, liep opnieuw de pier op en dook in slow-motion.

'Nou kan ik het!' riep Andreas. 'Ik voel dat ik het kan!'

Hij krabbelde op de kant, rende over het plankier, gleed uit en schoof op zijn buik het water in.

Het kleine meisje schaterde. De jongen lachte ook, maar wilde het niet laten merken.

Andreas kwam met een pijnlijk gezicht het water uit en inspecteerde zijn buik, waarover rode schrammen liepen.

'Doet het zeer?' riep Emma.

'Alleen als ik lach,' zei hij zuur.

Het kleine meisje trok een medelijdend gezicht en zei weer iets. De jongen schudde zijn hoofd.

'Wat zegt ze?' vroeg Andreas.

De jongen haalde zijn schouders op. Maar het meisje legde haar handje op zijn arm en drong aan.

49

Wrevelig schudde hij het handje af. 'Nò. Stop di hasi pantomina, dushi.'

'Dushi betekent liefje,' zei Andreas triomfantelijk.

De jongen keek hem verrast aan. Andreas ging naast hem zitten.

'Maar wat zei je nog meer?'

'Dat ze niet zo gek moest doen.'

'Hoezo?'

'Ze wil dat ik jou ging verbinden. Dat wil ze altijd. Ze is gek op dokter spelen.'

'Jij ook!' riep het meisje.

Emma lachte. 'Door de mand gevallen!' Ze ging naast Andreas zitten.

Het meisje nam haar onderzoekend op.

'Bon día,' zei Emma.

De grote ogen bleven op haar gericht. Een handje werd aarzelend uitgestoken.

'Kon ta bai?'

'Help,' zei Emma tegen de jongen.

'Ze vraagt hoe het met je gaat. Zeg maar "mi ta bon".'

'Mi ta bon.' Emma schudde ernstig het handje. 'En hoe gaat het met jou?'

'Goed.'

Emma trok aan een staartje dat stijf opzij van het ronde hoofdje stond. 'Dus jij verstaat me wel.'

'Ze spreekt wel Nederlands,' zei de jongen. Zelf sprak hij elk woord zorgvuldig uit. 'Maar meestal is ze te lui.'

'Ik kan al drie woorden,' zei Andreas trots.

'Ken,' zei Emma.

Hij gaf haar een duw. 'Bon bini, dushi,' zei hij tegen het meisje.

Ze klapte verrukt in haar handen. De jongen schoot in de lach en vluchtig bedacht Emma dat hij iets bekends had, als hij lachte. Maar hoe zou dat kunnen?

Ze bekeek Andreas' buik. 'Je bent helemaal geschaafd. Moet daar niet iets op? Jodium of zo?'

'Als ik gek ben!' Hij veegde een druppeltje bloed weg. 'Maar ik ga niet meer het water in. Het schrijnt.'

De jongen keek ook, aandachtig, met een rimpel tussen zijn wenkbrauwen. 'Het is al schoon. De zee heeft het schoongewassen.'

'Dat water,' zei Emma. 'Is het echt altijd zo helder?'

Hij knikte. 'Behalve als het stormt. Maar het stormt bijna nooit. Er zijn duikplaatsen waar je op twintig meter nog de bodem kunt zien. Gaan jullie duiken?'

Emma schudde haar hoofd. 'We hebben geen spullen.'

'Die kun je huren.'

'Ja, maar mijn tante heeft het niet op duiken. En alleen mogen we niet.'

Hij weifelde even, wriemelde toen met zijn vingers boven zijn hoofd. 'Die mevrouw… Ik zag haar op de airport. Is dat je tante?'

Andreas grinnikte. 'Die met dat vogelnestje op haar hoofd, bedoel je.'

De jongen knikte. 'Ik ken haar.' En op hun verbaasde blik verbeterde hij: 'Ik ken haar gezicht.'

'Ze werkt bij de bank,' zei Emma. 'Misschien heb je haar daar wel eens gezien.'

Er trok iets om zijn mond. 'Misschien,' zei hij stroef.

Er viel een stilte. Het kleine meisje krabbelde overeind.

'Roy, mi tin hamber.'

Hij stond ook op. 'Ze heeft honger.'

'Ik ook,' zei Andreas. 'Zullen we gaan, Em? De politie is nou vast wel weg.'

De jongen knipperde met zijn ogen. 'Politie?'

'Er is ingebroken bij mijn tante,' verklaarde Andreas. En toen hij zag dat de jongen schrok, voegde hij er geruststellend aan toe: 'Maar we missen niks.'

'Niets gestolen?'

'Zelfs geen geld,' zei Andreas vrolijk.

'O.' Hij had opeens haast. 'Zeg maar dag, Gina.'

'Ayó!' zei Gina vrolijk.

'Ayó,' zei Andreas.

'Dag Roy,' zei Emma.

De ventilator aan het plafond liet lange smalle schaduwen over de tafel wieken. Roy's wiskundeboek lag opengeslagen voor hem. Hij staarde ernaar zonder het te zien. Hij wist nu al dat hij een onvoldoende ging halen.

Dus dát had de man bedoeld toen hij zei dat hij zelf geen kans had gezien de goederen te bemachtigen. Goederen, noemde hij het. Het was een woord dat bij 'handelaar' paste. Handelaren handelden in goederen. Wat voor goederen dan ook. Ze verkochten ze en stuurden ze van de ene plek naar de andere en kregen daar geld voor. En dat was natuurlijk waar alles om draaide. Geld. Maar wat kon er voor kostbaars... Opeens ging hij rechtop zitten. Carlos zou toch niet...? Hij wist dat het gebeurde. Op Curaçao vooral. Af en toe las je in de krant over arrestaties in verband met drugssmokkel. Maar niet Carlos. Niet zijn grote broer, die hem zwemmen had geleerd, duiken, vissen, die hem had beloofd dat hij hoe dan ook naar Nederland zou gaan om te studeren. 'Dan word jij de eerste dokter in de familie!'

Maar die belofte was al lang geleden gedaan, en hij betwijfelde of Carlos het zich nog herinnerde.

Achter hem sliften zijn moeders blote voeten over de vloer. Een glas ijsthee werd naast hem neergezet, een hand streek over zijn haar. Ze rook naar schoonmaakmiddel.

'Danki.' Hij keek niet op.

'Ben je nog niet klaar?'

Hij schudde zijn hoofd. 'Mami, waar is Carlos' foto?'

Ze gaf niet meteen antwoord.

'Waar is hij?' drong Roy aan.

'Bij Conchita.'

'Maar…'

'Ik wil dat hij thuiskomt.' Haar gezicht was een mengeling van schaamte en vastberadenheid.

'En Conchita kan daarvoor zorgen?' Roy hield zijn stem zorgvuldig neutraal.

Ze liep terug naar de bank, die kraakte toen ze ging zitten, omdat hij met plastic was bekleed om de stof tegen slijten te beschermen. 'Jaren geleden, toen mijn mami zo ziek was… De dokters, met al hun knapheid konden zij niets doen. En zij lag daar maar, Roy. Elke dag was er minder van haar over. Toen heeft ze Conchita laten komen.'

Ze zweeg even. Aan haar rug kon Roy zien hoe moe ze was.

'En toen?'

'Een maand later was ze beter.'

'Wat had Conchita gedaan?'

'Niets.' Ze lachte een beetje. 'Haar aangeraakt. Mami zei dat ze kon voelen hoe Conchita's kracht naar haar overstroomde.'

Ze draaide zich om. 'Ik heb dat nooit vergeten, Roy. Jullie jonge mensen, jullie willen er niets van weten, maar denk niet te licht over de brua.'

Roy zei niets. Ze pakte de afstandsbediening en zette het geluid van de televisie harder.

Roy dacht aan het jongetje met zijn open, blauwe blik, aan het blonde meisje – Em – dat tegen hem had gepraat of ze hem al jaren kende, aan de tante die hen een paar maanden geleden had geholpen bij de bank. Carlos had een cheque gestuurd die, toen ze hem wilden inwisselen, niet gedekt bleek te zijn. Zijn moeder, totaal in de war, had iets gestameld over verkeerd begrepen, en zelf was hij het liefst door de grond gezonken van schaamte. Maar de tante was vriendelijk gebleven en had gezegd dat zoiets wel vaker voorkwam.

Hij staarde naar de woorden in het wiskundeboek die elke betekenis hadden verloren. Een parabool is een ongesloten kromme lijn die ontstaat wanneer van een kegel, evenwijdig met de mantel, een stuk wordt afgesneden.

Hij roerde zijn ijsthee, nam een slokje. Ik doe het niet, dacht hij. Ik wil er niets mee te maken hebben. Laat mami geloven in haar brua, en misschien, als ik niets doe, komt alles vanzelf goed. Niets doen was immers altijd beter. Problemen kon je het beste negeren, dan losten ze zich vanzelf op.

Maar toen dacht hij aan Gina, die in haar kamertje lag te slapen, en de thee werd bitter in zijn mond.

9

'We gaan vandaag iets leuks doen,' zei Titia. 'Ik vind het heel vervelend dat ik toch een paar dagen moet werken vanwege dat gedoe
met dat nieuwe computersysteem. Dat kwam er op het nippertje
tussen. Jullie vinden het toch niet erg?'

Emma en Andreas keken elkaar aan. Erg? Integendeel.

'Dus we moeten deze dag goed benutten. En jullie hebben het wel
verdiend.'

'Zo erg was het allemaal niet, hoor,' vond Emma.

De politie was geweest, had een verklaring opgenomen, en Ti had
aangifte gedaan. Ze hadden beloofd haar te bellen zodra ze iets
wisten, en dat was dat. Omdat er niets gestolen was, hadden ze de
zaak niet zo ernstig opgenomen.

'Spannend juist,' zei Andreas. Hij lag op zijn knieën en hield een
stukje pandushi zo hoog dat Boris op zijn achterpoten moest staan
om erbij te kunnen. Zijn voorpootjes bungelden dwaas in de lucht.
'Wat gaan we dan doen? Gaan we naar het park?'

'Voor het park moet je een hele dag uittrekken. Dat wilde ik voor
een andere keer bewaren. Voor vandaag dacht ik aan schelpen zoeken of schelpen kijken.'

'Wat is het verschil?' vroeg Emma, terwijl Andreas riep: 'Zoeken!'

Ti lachte. 'Het verschil is naar Cai rijden, daar kunnen we schelpen zien, of naar de Willemstoren gaan, daar kunnen we ze zoeken.'

Andreas begreep het niet. 'We kunnen ze toch ook bij Cai zoeken?'

'Bij Cai liggen die hele grote, die je soms in souvenirwinkels kunt kopen, maar die mag je niet meenemen. Het zijn de schelpen van de karkó. Dat is een soort slak die wel dertig centimeter lang kan worden. Vroeger werden er veel gevangen, zoveel dat ze nu zeldzaam zijn geworden.'

'Waarom vingen ze er dan zoveel?'

'Om de schelp. Maar ook om ze op te eten. Het middelste stuk smaakt een beetje naar kip, en de lokale bevolking is er dol op. Zo dol, dat de karkó nu bijna is verdwenen. Maar de schelpen zijn prachtig, vaak zachtroze van binnen, en grillig gevormd, met allerlei uitsteeksels. Er liggen hele bergen op het strand bij Cai. Weet je hoe ze ze vingen?'

'Nou?' Andreas vergat Boris, die op zijn knie klom en de pandushi brutaal uit zijn hand trok.

'Door een gaatje in de schelp te prikken. Dan wordt het vacuüm verbroken en kun je de slak er zo uithalen. Of ze hingen de schelp op aan een boomtak en bonden een steen aan de slak. Die liet dan na een paar uur vanzelf los, uit vermoeidheid. Maar dan bleef wel de schelp heel.'

'Wat gemeen!'

'Tja.' Titia glimlachte. 'Wij hebben mestvarkens.'

'En legbatterijen,' zei Emma.

Hij liet Boris op de grond glijden en knikte nadenkend. 'En als we naar de Willemstoren gaan?'

'Dan komen we eerst langs de zoutpannen en met wat geluk zien we flamingo's, en we komen langs de slavenhutjes. Zelf hou ik van het stuk kust bij de Willemstoren. Het is de oudste vuurtoren van het eiland, en het is er ruig en heel rustig. De schelpen die je er vindt zijn vaak al heel oud. Dan zit er een dikke laag kalk op, of koraal.'

'Naar de Willemstoren,' zei Andreas.

'Ze zijn niet zo groot als de schelpen bij Cai,' waarschuwde Titia.

'Kan me niet schelen. Naar de Willemstoren, hè Em?'

Emma rekte zich uit. Haar ogen volgden Boris, die zijn favoriete plekje op de grote steen opzocht.
'Ik vind alles best.'

De flamingo's waren even roze als op de foto's in het boekje van zijn vader en de zoutbergen blonken oogverblindend in de zon. Andreas wilde per se uitstappen en een stuk zout meenemen.
'Je kunt het zo niet eten, hoor,' zei Ti. 'Het moet eerst worden gezeefd en gewassen.'
'Ik wil het niet éten, ik wil het meenemen. Voor mijn spreekbeurt.'
Hij holde weg, zijn petje achterstevoren op zijn hoofd, zijn T-shirt om zijn middel gebonden. Ti keek hem na.
'Wat wordt hij groot, Emma, de laatste keer dat ik hem zag was hij bijna nog een kleuter.'
'Voor een broertje is hij goed te pruimen.' Emma lachte. 'De meeste jongens van zijn leeftijd zijn van die schreeuwerdjes. Dreas heeft dat nooit gehad.'
'Hij heeft toch wel vriendjes?'
'O ja. Die komen dan bij ons als een kudde olifanten de trap opstampen, maar meestal heeft hij ze binnen een paar minuten stil. En als je dan binnenkomt, zitten ze achter de computer.'
'Een spelletje te spelen?'
'Nee, dan legt hij ze iets uit. Hij is griezelig snugger.' Ze zuchtte.
'Dat heeft hij van je vader. Hoewel, mijn zus is ook niet de domste. Hoe gaat het nou écht, thuis?'
'Ze gaan veel uit.' Emma keek strak naar Andreas, die gehurkt bij het violette water zat. 'Niet samen, maar apart. En ze werken veel. En lang.'
'En deze reis naar Amerika...'
Emma haalde haar schouders op. 'Is ook bedoeld om te praten. Dat zeiden ze tenminste. Het is hun aangeraden door een therapeut.' Ze sprak het woord uit alsof ze iets beschreef wat onder een

steen vandaan was gekropen. 'Op de krant vonden ze het niet leuk, maar mamma heeft toch geregeld dat ze meekon.' Haar ogen ontmoetten die van Titia.

Ti knikte naar Andreas, die nog steeds tussen de zoutklompen zat te wroeten.

'Hoeveel begrijpt hij ervan?'

'Dat weet ik eigenlijk niet. Veel, denk ik. Hij praat er niet over. Hij praat nooit ergens over. Herinner je je nog dat hij zijn pols gebroken had met fietsen? Mamma had gezegd dat hij haar niet moest storen omdat ze het druk had. Toen heeft hij een hele middag rondgelopen met een zelfgeprutst verbandje om die pols.'

'Dat weet ik nog. Hoe oud was hij toen helemaal?'

'Zes.' Emma zweeg even. 'Vorige week vroeg hij of we van de zomer wel met zijn allen op vakantie gingen. Dat is dan zíjn manier om te laten weten dat hij ergens over inzit.'

'En wat is jouw manier?'

Emma schudde haar hoofd. 'Dat wil je niet weten. Ik denk dat ze blij zijn dat ze een tijdje van me af zijn.' Opeens lachte ze. 'En het heeft ons in ieder geval dít opgeleverd.'

Haar ogen zwierven langs de sneeuwige zoutbergen en de strakblauwe hemel erboven. Een flamingo vloog met slappe poten laag boven het water en landde tussen een paar soortgenoten, die nuffig een stapje opzij deden. Emma bewoog haar schouders en snoof diep de warme, zilte lucht op.

'Help me onthouden dat ik vanavond dat idiote huiswerk maak dat ze me hebben opgegeven.'

'Het bevalt jou hier wel, hè?'

'Ik ben verliefd op dit eiland.'

'Nu al!' Ti lachte.

Emma trok het elastiek uit haar staart, rolde haar haar tot een knotje en draaide het elastiek eromheen. Ze veegde het zweet uit haar nek. 'Het is te heet, ik verbrand als een gek, ik heb de hele dag dorst, 's avonds word ik opgevreten door de muggen en energie heb ik niet, maar als je me vraagt om hier te komen wonen, zeg ik onmiddellijk ja.'

'Ze hebben hier geen vwo-opleiding,' zei Ti nuchter. 'Daarvoor moet je naar Curaçao.'

'Ook goed,' zei Emma prompt. 'Is het daar net als hier?'

'Het is groter, dus drukker, er is meer criminaliteit…'

Emma grinnikte.

'Maar verder,' zei Ti onverstoorbaar, 'is het ook een verrukkelijk eiland.'

'En het is zeker te duur om elke dag van hieruit met het vliegtuig naar school te gaan?'

Ti schoot in de lach. 'Absoluut.'

'Waarom is dat water zo roze?' Andreas klom in de auto, een klomp zout in zijn hand.

'Omdat het door de verdamping steeds zouter wordt. Onder de zon lijkt het dan roze, of violet.'

'Hoe doen ze dat dan precies, met dat zout?'

'Eigenlijk is het heel gemakkelijk. Je zou het zelf kunnen doen. Als jij in een kopje een laagje zeewater laat verdampen, blijft ten slotte alleen het zout over. Zo doen ze het hier ook, alleen op wat grotere schaal. Zullen we eens bij de slavenhutjes gaan kijken?'

De hutjes waren heldergeel geverfd, en belachelijk klein. Andreas kroop naar binnen. Zelfs hij moest bukken.

'Je kunt er net met zijn tweeën in,' riep hij gedempt.

'Klopt,' zei Ti. 'Ze sliepen er met zijn tweeën. Ze woonden in Rincón en in Antriol, maar ze bleven hier de hele week om in de zoutpannen te werken, en op zaterdagavond liepen ze naar huis, want op zondag moesten ze naar de kerk. Na de kerkdienst liepen ze weer terug, om op maandag weer vroeg te kunnen beginnen. Dat was zeven uur lopen.'

'Zeven uur!'

Ti knikte. 'Het waren maar slaven, vond men.'

'Die hutjes zien er verdacht netjes uit,' zei Emma.

'Nu wel.' Ti lachte. 'De eerste slavenhutjes waren van leem, met een bladerdak. Later maakten ze ze van steen, en een tijd geleden zijn ze gerestaureerd. Eigenlijk zijn ze nu veel te mooi, vind ik.'

Ze stapten weer in, en Andreas keek nog eens naar zijn zoutklompje. 'Dat van die slaven, dat komt ook in mijn spreekbeurt,' zei hij. 'Nederlanders waren vroeger wel hufterig, hè Ti?'

'Nu ook nog wel,' mompelde Emma.

'Ze waren niet slechter of beter dan andere volken, denk ik,' zei Ti. 'De tijden waren anders, dat moet je niet vergeten.'

'En nu hebben we de mestvarkens en de legbatterijen,' zei Emma vrolijk.

Bij de Willemstoren was geen mens. Witgekraagde golven sloegen stuk op de rotsige keien die in een dikke laag op het strand lagen. Voorzichtig klauterden ze eroverheen.

'Au!' Een forse steen rolde tegen Andreas' enkel.

'Niet te dicht bij het water,' waarschuwde Ti. 'Die stenen worden met een rotgang op het strand gegooid.'

'Ik zie nergens schelpen.' Emma zat gehurkt tussen de stenen te wroeten.

'Je moet goed kijken, vaak hebben ze dezelfde kleur als de stenen. Hier, ik heb er een.' Ti hield een grote schelp omhoog waarop zich een dikke laag kalk had afgezet.

'Goh,' zei Andreas jaloers.

'Wil jij hem?'

Hij schudde zijn hoofd. 'Ik wil ze zelf vinden.'

Na een uur zei Titia: 'Wat denken jullie ervan? Ik heb eigenlijk wel honger.'

'Ik ook,' zei Andreas verbaasd. 'Maar ik ben daar nog niet geweest.'
Hij wees.

'Zullen we dat dan voor een volgende keer bewaren? Emma, jij
bent alwéér verbrand.'

Emma wreef afwezig haar nek. 'Een beetje maar, ik had me ingesmeerd.' Ze bekeek haar schelpen die ze in haar T-shirt had
geknoopt. 'Kijk eens, Dreas? Ik heb een gestreepte.'

'Ik heb een roze met tandjes,' zei hij trots.

Op de lange rechte weg terug naar Kralendijk zei Emma: 'Moet je
zien, het regent daar.'

Een grote donkere wolk hing recht boven het dorp. Ze haalden de
bui in en kwamen in de stromende regen thuis. Ti parkeerde de
auto en ze vluchtten naar binnen.

Tien minuten later was het droog en lag het terras te stomen in de
zon. Andreas stalde zijn schelpen uit op de tuintafel toen hij de
roze beer zag, die uit de hibiscusstruik was gevallen. Hij raapte
hem op. De beer was zwaar van het vocht, op zijn strik hadden
natte bloemblaadjes roze vegen achtergelaten en zijn vacht zat in
doffe plukken samengekleefd. Andreas kneep erin, en straaltjes
water drupten op de grond. De beer werd opeens een heel stuk
slanker.

'Leg hem in de zon, dan droogt hij vlugger,' adviseerde Emma.

'Hij is helemaal lelijk geworden. Ik leg hem binnen, dan borstel ik
hem straks wel op.' Hij kneep nog eens in de beer. Zijn vingers
voelden iets hards. Bobbelig. Knikkerig.

'Niet met mijn haarborstel,' waarschuwde ze.

Hij hoorde haar niet eens. Ooit had hij een gloednieuwe wekker-
radio gesloopt omdat hij niet begreep hoe de cijfertjes verspron-
gen. Nu begreep hij niet waarom er in een beer knikkers gestopt
waren, terwijl knuffels zacht behoorden te zijn.

Hij liep naar de slaapkamer, ging op zijn bed zitten en bekeek de

beer aan alle kanten. Dat beest moest ergens open kunnen. Hij
tuurde tussen de achterpoten en voelde met zijn duimnagel. Daar
scheen een naad te lopen. Andreas sprong op en liep naar de keuken.

'Ti, heb je een naald?'

'Ga je je schelpen schoonpeuteren?'

'Zoiets,' mompelde hij.

Ti vond een naald voor hem, en geduldig trok hij steekje voor
steekje de naad los die tussen de achterpoten door een eindje
omhoog liep op de berenrug.

Eerst kwamen er watten, vermengd met dunne draden die leken
op het poetskatoen dat zijn vader in de garage bewaarde. En daarna... Hij tastte met zijn vingers in het gat en voelde iets wat ruw
en zacht was tegelijk. De opening was nog niet groot genoeg, en
hij maakte nog een aantal steken kapot. Met duim en wijsvinger
trok hij aan het ruwzachte, en zodra hij het zag, wist hij wat het
was.

Zeemleer.

Hetzelfde spul als waar de werkster thuis de ramen mee lapte. Hij
rook eraan. Ja hoor, het rook ook zo. Vulden ze speelgoedbeesten
dan eerst met knikkers en daarna met watten? Het klonk niet
logisch, maar misschien was het goedkoper, of werden ze er ster-
ker van. Hij gaf nog een laatste rukje, en toen hield hij een zakje
in zijn hand, dichtgenaaid met hetzelfde keurige steekje als de beer.
Andreas betastte het, als een klein kind op sinterklaasavond dat
door het papier heen probeert te raden wat er in het pakje zit. Zijn
vingers trilden toen hij de naald roets-roets door de steken trok.
Hij keerde het zakje om boven zijn bed, en op het laken viel een
groenglinsterend watervalletje.

10

Roy was de hele ochtend in zijn kamertje gebleven. 'Leren voor een repetitie,' zei hij, toen zijn moeder vroeg waarom hij niet aan de eettafel kwam werken. Als hij zich werkelijk moest concentreren en door Gina's gesnater werd afgeleid, zat hij wel meer in zijn kamer, hoewel die er eigenlijk te klein voor was.

Maar zijn wiskundeboek lag ongeopend op zijn bed, het schrift met Engelse woordjes ernaast. En nu was het intussen bijna middag, buiten klapperde de was aan de lijn, binnen rammelde zijn moeder met pannen. Ze moest naar de Cultimara, maar eerst kookte ze, zodat ze konden eten zodra ze van haar werk thuiskwam.

Hij hoorde de buurvrouw iets roepen, en Gina's schelle stemmetje dat antwoordde. Zou hij Gina vanmiddag naar de buurvrouw brengen? Als hij alleen ging, kon hij zich vrijer bewegen.

Maar de buurvrouw zou willen weten wat hij dan wel voor dringends te doen had, dat hij op zaterdagmiddag niet op zijn zusje kon passen. Als hij geen goed verhaal had, zou zijn moeder het ongetwijfeld te horen krijgen. En als hij wél een goed verhaal had waarschijnlijk ook. 'Iedereen weet altijd alles van elkaar op dit vervloekte eiland,' zei Carlos vroeger.

Hij stond op, trok het laken glad en legde zijn kussen recht. Het laken was klam. Zijn kamer lag aan de lijzijde van het huis, en hoewel het raam openstond, was het er nu snikheet.

Hij wreef zijn rug droog met zijn T-shirt en trok het aan. Alweer een douche nemen had geen zin, en mami zou mopperen. Water was duur. Hij zou Gina meenemen, dan konden ze gaan pootje-baden. En misschien had hij geluk.

Gina zeurde. Ze had slecht geslapen, en nu moest ze haar mid-dagdutje overslaan omdat Roy zo nodig naar het dorp wilde. Ze gingen leuke dingen doen had hij gezegd, maar nu ze onderweg waren, mocht ze niet gewoon op de weg lopen, maar alleen in de hobbelige berm, en Roy luisterde niet naar haar en keek aldoor achterom, alsof hij liever was thuisgebleven.
Met slepende voetjes liep ze naast hem, en ten slotte kreeg hij medelijden en zette haar op zijn schouders.
Ze trok aan zijn haar. 'Wat gaan we dan doen, Roy?'
'Pootjebaden.'
'En wat nog meer?'
'Een ijsje eten. Maar alleen als je niet zeurt.'
'Ik zeur niet!'
'Daarnet wel.' Hij rechtte zijn rug. Ze was bijna vier, en ze werd behoorlijk zwaar.
'Krijg ik dan zo'n ijsje met nootjes en chocola?'
'Nee, dat is te duur.' Haar beentjes bungelden naast zijn oren, en hij veegde haar stoffige schoenen schoon.
'Wat krijg ik dan?'
'Eentje met… met krokodillensaus.'
Ze timmerde gierend op zijn hoofd. 'Stop di hasi pantomina!'

In het dorp deden vrouwen de weekendboodschappen, en bij de haven waren een paar mannen bezig een boot vanaf een trailer in het water te manoeuvreren. Roy bleef even staan kijken. Het strandje bij de houten pier was verlaten en tot zijn opluchting was ook de rode auto nergens te bekennen.
'Kom,' zei hij tegen Gina. 'We gaan je ijsje kopen.'

De jongen van de snackbar vroeg Gina welk ijsje ze het lekkerst vond, en toen ze feilloos het grootste aanwees, mét nootjes, lachte hij en gaf het haar. Roy kende hem, hij had bij hem op school gezeten. Fernando.

'Hé man,' protesteerde Roy. 'Mi tin poco placa.'

Fernando grijnsde. 'Geld? Wie praat er over geld? Dit betaalt de baas. Is het lekker, dushi?'

Gina likte en knikte.

Fernando leunde met zijn armen op de toonbank. 'Ga ook werken, Roy, je eigen geld verdienen. School is niks, toch? Kijk naar mij, ik ga uit, ik koop kleren, ik doe wat ik wil.'

Ja, en over tien jaar sta je hier nog, dacht Roy. IJsjes verkopen en hamburgers plat slaan. Hij schudde zijn hoofd.

'Het bevalt me wel, school.'

'Hoe is het met je mami?'

'Bon.'

'En met je broer?'

Roy haalde zijn schouders op en spreidde zijn handen. Fernando knikte begrijpend.

'Carlos kwam niet,' zei Gina. Haar ijsje begon al te druipen, en Roy pakte het haar af en likte er razendsnel omheen. Ze rukte aan zijn been.

'Esaki ta di mi!'

'Natuurlijk is het van jou.' Hij gaf het ijsje terug.

'Hij is al lang niet geweest, toch geen problemen?' zei Fernando nieuwsgierig.

Roy beet op zijn lip. Carlos had gelijk. Men wist alles van je op dit eiland, en wat men niet wist, werd verzonnen.

'Hij zou komen, maar er kwam iets tussen.'

'Wat doet hij tegenwoordig?'

Roy weifelde een halve seconde. 'Hij is in zaken.'

'Ay, ik zeg het jou!' zei Fernando triomfantelijk. 'Je hebt school niet nodig om rijk te worden. Daar zijn veel betere manieren voor, toch? Weet je dat ik een scooter heb gekocht? Mari-Anna zit elke avond bij mij achterop.' Hij knipoogde nadrukkelijk.

Roy knikte. Hij had het groepje wel eens 's avonds op het pleintje gezien. Ze bleven er rondhangen tot na middernacht, lachend en schreeuwend, tot ze werden weggejaagd. Ze trokken strepen op de weg en hielden wedstrijdjes wie er het hardst overheen durfde te jakkeren.

'Je moet ook eens komen,' vond Fernando. 'Wat moet je thuis bij jouw mami, eh?'

Roy haalde zijn schouders op. 'Ik heb geen scooter.'

'Je mag op de mijne,' bood Fernando aan.

Hij zou er toch niet echt bijhoren, dacht Roy met een plotselinge steek van jaloezie. Hij keek naar Fernando's onbekommerde gezicht. Waarom was hij niet als Fernando en al die anderen? Waarom wilde hij zo nodig zijn school afmaken, terwijl hij wist dat er van studeren toch niets kon komen? Wat had je aan kennis als je er niets mee kon doen? 'Dan word jij de eerste dokter in de familie…'

'Danki, Fernando, maar ik heb geen tijd.'

Er kwam een klant, en hij trok Gina mee.

'Ayó.'

'Hee!' Fernando liet de klant voor wat die was. 'Roy! Bo ta ban sine awenochi?'

'Ik heb een afspraak vanavond!'

Fernando siste veelbetekenend en wijdde zich aan zijn klant.

Het zou leuk zijn geweest om weer eens naar de bioscoop te gaan, dacht Roy toen ze opnieuw de richting van de pier insloegen. Maar niet als Fernando moest betalen. Bovendien zou hij mami en Gina dan alleen thuis moeten laten.

Op de pier stond een man met een duikuitrusting te hannesen. Zijn vrouw, met zonnehoed en verbrande schouders, stond ernaast en gaf aanwijzingen.

'No, honey, it's the other way round. Let me help you.'

'Don't bother,' snauwde de man. Zijn gezicht was rood aangelopen. Zweet parelde op zijn kale hoofd.

Amerikanen. Roy gooide schaamteloos Gina in de strijd. 'Zeg eens dag.'

'Bon tardi,' zong Gina. Ze had zes kralenvlechtjes vandaag, die alle kanten op wezen.

'Oh, look.' De vrouw was onmiddellijk vertederd. 'Hi, sweetie.'

'Can I help you, sir?' vroeg Roy beleefd.

De man nam hem een ogenblik op en grijnsde toen.

'I guess so. Could you hold this for me, please?'

Snel en handig bevestigde Roy de cilinder op zijn rug. Hij checkte of alles goed zat, wees toen naar het water.

'You can go now, sir.'

De man knikte. Hij fluisterde iets tegen zijn vrouw, die ook knikte en in een grote rieten tas begon te rommelen. Roy bleef rustig staan. Vroeger had hij dit vreselijk gevonden. Tegenwoordig beschouwde hij het als een gemakkelijke manier om zijn zakgeld wat op te krikken.

Een vijfdollarbiljet werd in zijn hand gedrukt. 'Thank you, dear, you're very kind.'

Wie zou niet vriendelijk zijn voor vijf dollar, dacht Roy. Hij liet het biljet in zijn zak glijden en nam Gina bij de hand.

'Kom.'

De Amerikaan was allang weer terug en door zijn vrouw uit zijn pak gehesen, Gina werd moe en begon te dreinen, maar Roy wilde het nog niet opgeven. Ten slotte viel ze in slaap onder de boom, en hij zat ernaast, zijn gezicht naar de kade gekeerd, wachtend tot er een blond en een bruin hoofd zouden opduiken. Pas toen hij aan de stand van de zon zag dat het werkelijk tijd werd om naar huis te gaan, maakte hij haar wakker.

Ze waren het dorp al uit toen de rode auto naast hen stopte. Roy's hart sloeg over, en hij trok Gina naar zich toe.

'Stap in.' De glazen van de zonnebril blikkerden.

Roy schudde zijn hoofd. Hij overwoog te gaan rennen, maar hij wist dat hij met Gina niet snel genoeg zou zijn. En wat had het voor zin? De man zette de auto scheef op de weg. Hij stapte uit en leunde nonchalant tegen het portier.

Roy keek naar het nummerbord. De man zag het en lachte.

'Probeer niet slim te zijn, jongen.'

Gina haalde haar duim uit haar mond. 'Wie is dat, Roy?'

'Een meneer.'

'Ja maar…'

'Stil.' Hij tilde haar op. 'Ki bo ke?' vroeg hij grof. Wat wil je?

'Je weet wat ik wil, Roy.' De gouden voortand blonk. 'De vraag is of jij het al hebt.'

Voor het eerst viel het Roy op dat de man met een slissend accent sprak. Was het Portugees?

'Nee.'

'Tsss.' De man schudde zijn hoofd. 'Dat was niet de afspraak.' Hij keek naar Gina.

'Ik heb de hele middag gewacht!' zei Roy wanhopig. 'Maar ze kwamen niet.'

'Ik heb je gezegd dat ik niet veel tijd had. En geduld nog minder.'

'Doe het dan zelf!' schreeuwde Roy.

Gina trok aan zijn haar. 'Roy, Roy, ik wil naar huis.'

'Loco,' zei de man zacht. 'Dwaas. Jij denkt dat ik maar wat zeg.' Hij keek weer naar Gina. 'Ik kan daar niet nog eens naartoe. Misschien wordt het tijd dat jij een bezoekje gaat brengen. Ik zal je het adres geven.'

'Ik weet…' begon Roy en zweeg.

Het goud flitste. 'Ah! Je weet het al? Des te beter.' Zijn hand sloot zich om Roy's bovenarm, de nagels drongen in zijn huid. 'Maak haast, jongen.' De hand liet los, trok Gina aan een vlechtje. 'En pas goed op je zusje.'

De auto spoot weg, een stofwolk achterlatend, en Gina hoestte.

'Ik vind die meneer niet lief.'

Roy's benen trilden, en hij zette haar op de grond.

'Dat is hij ook niet, dushi. Het is een stoute meneer. Laten we het maar niet aan mami vertellen, hè? Dan schrikt ze misschien.'

11

Andreas begreep niet wat het waren. Of eigenlijk begreep hij het wel, maar wist hij niet hoe ze heetten.

Ze lagen midden op zijn bed, netjes op een rijtje. Eenentwintig flonkerende stenen, de kleinste zo groot als een erwt, de grootste iets kleiner dan een knikker. De late middagzon scheen naar binnen en Andreas nam de grootste steen en hield hem in het licht. Groene vonken gloeiden diep binnenin, en groene vlekjes dansten op de muur.

Zijn hart bonkte in zijn keel. Hij had Tom Sawyer benijd om diens avonturen en bedacht dat je in het echte leven natuurlijk nooit een schat zou vinden, dat gebeurde alleen in een boek.

En nu zat hij hier met – met wat het dan ook waren. Edelstenen. Geen diamanten, maar wel zoiets, en wat zouden ze wel waard zijn?

Hij wreef met zijn duim over de prachtig geslepen facetten. De steen lag koel en glad in zijn hand, ijs en vuur tegelijk. Andreas zou er zijn hele schelpenverzameling voor over hebben als hij hem kon houden. Dat kon niet, hij wist dat het niet kon, maar hij vond wel dat hij een paar dagen van zijn schat mocht genieten.

Hij hoorde Ti iets roepen en Emma die lachend antwoordde. In een impuls grabbelde hij de stenen bij elkaar en liet ze in het zeemleren zakje glijden. Hij vouwde het zakje dicht en keek om zich heen.

Zijn koffer? Daar hadden ze al in gesnuffeld, wie 'ze' dan ook waren, en je zocht nooit twee keer op dezelfde plaats. Hij deed de

koffer open, die nu leeg was en erg groot leek voor zo'n klein zakje. Hij trok de kastdeur open en keek naar hun kleren die aan de ·
hangers hingen, ondergoed, sokken en T-shirts min of meer opge-
vouwen erboven op de plank. Op de bodem van de kast stonden
de schoenen die ze op reis hadden gedragen. Die zouden ze pas
weer aantrekken als ze naar huis gingen; hier liepen ze de hele dag
op slippers of op gympen.

Hij stopte het zakje in zijn linkerschoen en duwde tot het zo ver
mogelijk in de neus zat.

Hij sloot de kastdeur en ging op zijn bed zitten. De beer lag naast
hem, en gedachteloos propte hij de vulling er weer in. Hij zou Ti
vragen om het gat weer dicht te naaien. Of misschien kon hij het
zelf.

De volgende morgen zat hij gapend aan het ontbijt.

'Slecht geslapen?' vroeg Ti. 'Je bent zo stil.'

'Nee hoor.'

'Ja hoor,' zei Emma. 'Je hebt de hele nacht liggen woelen en met je
kussen gevochten. Ik werd stapelgek van je.'

'Daar weet jij niks van,' zei Andreas. 'Jij lag te snurken. Daar werd
ík stapelgek van.'

'O, dus je geeft het toe?'

Hij schudde heftig zijn hoofd. 'Ik heb gewoon gedroomd.'

Ti wisselde een blik met Emma. 'Een akelige droom?'

'Over Boris.' Dat was waar. Hij had gedroomd dat Boris zijn kamer
was binnengekomen. Hij wist dat het Boris was, al had hij opeens
groene fonkelogen, die oplichtten in het donker. Boris had een
beer aan een touw, een enorme beer, een échte beer, maar met een
roze vacht. De beer had een witte strik om, en om zijn dikke nek
hing een ketting met groene glinsterstenen. Boris had de beer laten
dansen, en toen de beer omviel, was Boris erg kwaad geworden.
Hij had de beer geslagen totdat die openbarstte en er allemaal wit-

te vulling naar buiten was gestroomd. Toen was Andreas wakker geworden, zwetend, en met het vaste voornemen die stenen weg te gooien, desnoods in zee.

Maar nu was het ochtend. De zon scheen, Ti dronk genietend haar thee, op tafel stond een pak nuchtere Nederlandse hagelslag, en de echte Boris zat al naast de tafel, zijn kraaloogjes strak op Andreas gericht, geduldig wachtend op zijn pandushi. Nu leek wat hij gedaan had niet meer gevaarlijk, alleen nog spannend.

'Wat deed Boris dan?'

'Weet ik niet meer.'

'Ik vergeet mijn dromen ook altijd,' zei Ti. 'Ik zou ze wel eens op willen schrijven, want er zijn soms hele mooie bij, maar het komt er nooit van. Vóór ik een pen in mijn handen heb, zijn ze al weggezakt.'

'Ik droomde laatst…' begon Emma, en Andreas zuchtte opgelucht.

'Zijn de winkels vandaag eigenlijk open?' vroeg hij toen ze de bordjes naar de keuken brachten.

'Op zondag alleen de Cultimara, en alleen 's ochtends. Wou je iets kopen?'

'Ik wou iets voor mamma kopen. En voor pappa. Maar dan ga ik wel etalages kijken.'

'Ik ga niet mee,' zei Emma onmiddellijk. 'Ik ga lezen, en misschien een beetje zwemmen straks.'

'En misschien een beetje huiswerk maken straks?' vroeg Ti zachtzinnig.

'Heel misschien.' Emma lachte.

'Dan ga ik wel alleen.'

'Vind je het niet te warm om te lopen?'

'Nee hoor.'

Hij had zich erover verbaasd hoe langzaam de mensen hier liepen, maar nu deed hij het zelf ook. Je kreeg het lang zo warm niet, en waarom zou je je haasten? Je kon toch het eiland niet af, zoals Ti zei.

Hij slenterde door de zondagsstille straten. De kerk ging uit, en mannen in donkere pakken en smetteloos witte overhemden stonden zacht pratend in groepjes bijeen, de vrouwen als kleurige vogels ertussen. Andreas wandelde op zijn gemak tussen hen door.

Hij bleef staan voor een etalage met ringen, armbanden en kettingen. Zou mamma zo'n armbandje met schildpadjes leuk vinden? Of zo'n ketting met een hagedisje eraan? Ze waren niet zo erg mooi, de schildpadjes waren grof, en het hagedisje had een te korte staart.

Twee winkels verderop verkochten ze enorme zwarte T-shirts met haaien erop, en hij geloofde niet dat pappa die zou willen dragen. Ernaast was een piepklein winkeltje waarvan de etalage zo vol lag dat je goed moest kijken om te zien wat het allemaal was.

Felgekleurde houten papegaaitjes, vingerhoeden, bekers met 'Greetings from Bonaire' erop, kralenkettingen, doosjes beplakt met schelpen. De doosjes vond hij leuk. Daar kon je iets in doen, dat was altijd handig. En misschien voor pappa zo'n flesopener in de vorm van een schildpad… Zijn adem stokte.

Naast de flesopener lagen sieraden; ringetjes en armbanden slordig door elkaar, alsof iemand ze zo uit zijn hand had laten glijden. Een van de armbanden lag een beetje apart. Een schakelarmbandje van matglanzend metaal, met tussen de schakels groenglinsterende steentjes geklemd. Vijftien gulden, stond er op het stickertje.

Hoewel in de winkel alles donker was, voelde hij aan de deur. Op slot. Nu hij niet meteen actie kon ondernemen, zakte zijn opwinding enigszins. Hij bekeek de armband nog eens aandachtig. De steentjes zaten met een soort haakjes vast, maar hij bedacht dat hij die met een mes wel zou kunnen openpeuteren. Hij keek de straat af, zich goed inprentend waar hij was. Morgen, zodra de winkels open waren, zou hij de armband kopen, en meteen ook de flesopener en een schelpendoosje.

's Middags praatte hij Emma achter haar schoolboeken vandaan om te gaan zwemmen. Ti was op het terras in slaap gevallen, en Andreas had meer dan een uur zitten lezen; hij was toe aan een beetje actie. Ze legden een briefje op de tuintafel, met een schelp erop tegen het wegwaaien, en slopen weg.

'Had je nog iets gekocht vanochtend?' vroeg Emma toen ze zich uitkleedden onder de boom.

Andreas schudde zijn hoofd. 'Alle winkels waren dicht. Maar ik heb wel iets leuks gezien. Een doosje met schelpen erop. En een flesopener.'

Ze liepen het piertje op en sprongen in het water.

'Stel je voor, Dreas,' zei Emma. 'Thuis is het nu zo'n zes graden.'

Andreas draaide zich op zijn rug. 'En alle bomen zijn kaal.'

'En iedereen waait van zijn fiets.'

'En je moet een sjaal om als je naar school gaat.'

'En je winterjas aan.'

'Misschien vriest het wel, 's nachts.'

Ze dreven naast elkaar. Golfjes kabbelden tegen de palen, in de boom koerden duifjes, boven hen stond als een blauwe tent de hemel.

'Onze winterjassen neemt mamma weer mee als ze ons van Schiphol halen,' zei Andreas toen.

'Zei ze dat?' Emma draaide voorzichtig haar hoofd om. Hij tuurde naar de lucht.

Ze dreven weer een poosje. Andreas bleef turen.

'Maar het is wel raar dat ik straks niet op Eriks verjaardag ben.'

'Ik denk,' zei Emma, 'dat hij dat helemaal niet erg vindt als je hem een schelp geeft. Niet iedereen heeft een schelp die echt van een tropisch eiland komt.'

'Die grote!' Hij klaarde op. 'Zal ik hem die grote geven? Dat is wel de mooiste, hè Em?'

Hij hield er niet van om geknuffeld te worden, daarom dook ze en trok hem aan zijn flippers naar beneden. Ze worstelden onder water en kwamen hijgend boven.

Andreas porde Emma. 'Daar is Roy.'

Druipend gingen ze naast hem zitten.

'Bon día,' zei Emma.

'Hoi,' zei Roy.

Emma barstte in lachen uit. 'Jij leert snel.'

Hij glimlachte, zodat naast zijn mond het groefje verscheen. 'Jij ook.'

'Kon ta bai?' zei Andreas zorgvuldig.

'Hopi bon.' Roy streek over zijn haar. 'Hoe gaat het met duiken?'

'Ik kan het al een beetje,' zei Andreas trots. 'Hè Em?'

'Je bakt er niks van,' zei Emma. 'Je springt als een kikker.'

Roy keek geschrokken, maar Andreas gaf haar een opgeruimde stomp. Hij wurmde zijn voeten uit zijn flippers.

'Zal ik het je laten zien?'

'Ik ga met je mee.' Roy stond op, schopte zijn schoenen uit, propte zijn sokken erin, trok zijn T-shirt over zijn hoofd en schoot uit zijn spijkerbroek. Hij vouwde de kleren netjes op.

Wat een afzichtelijke schoenen, dacht Emma. Als ik daarmee op school zou verschijnen, kon ik mijn biezen wel pakken.

Roy liep met Andreas naar het eind van de pier, en ze zag dat hij pleisters had op allebei zijn hielen. Andreas strekte zijn armen boven zijn hoofd en zakte door zijn knieën. Roy hield hem tegen en zei iets. Andreas knikte begrijpend en zakte opnieuw door zijn knieën. Emma grinnikte.

Roy pakte Andreas vast, boog hem in de goede houding en stak een heel verhaal tegen hem af. Andreas bleef roerloos staan. Roy ging naast hem staan, en samen vlogen ze als twee speren het water in.

'Zag je dat, Em?' Andreas was zo enthousiast dat hij het halve baaitje inslikte.

Roy zwom tot halverwege de pier en hees zich op. Andreas krabbelde over de stenen, rende het plankier op en dook met doorgezakte knieën.

Roy ging naast Emma zitten.

'Hij leert het wel.'

'Als hij per se wil, leert hij alles.'

Hij wreef zijn haar droog met zijn T-shirt, vouwde het op en legde het op zijn spijkerbroek. Ze tuurden over het water.

'Blijven jullie hier lang?' vroeg hij op hetzelfde moment dat Emma zei: 'Is je zusje er niet?'

Ze lachten.

'Tien dagen,' zei Emma.

'Jullie hebben vakantie,' stelde hij vast.

'Nee. Mijn ouders, ónze ouders, moesten naar Amerika, en wij konden niet mee. En alleen thuisblijven mocht niet.'

Ze dacht aan de scène die ze gemaakt had omdat ze niet als een kleuter uit logeren wilde worden gestuurd, zelfs niet naar Bonaire. Andreas had niet geprotesteerd, dat deed hij nooit. Hij leek zich overal bij neer te leggen. Tot je merkte dat hij gewoon zijn eigen gang ging.

'Kon niet jouw oma op jullie passen?' vroeg Roy verbaasd. 'Of een buurvrouw, of…'

'We hebben geen oma meer, alleen nog een opa, en die is niet gezond. En de buren werken allemaal. Trouwens, dat kun je toch niet aan je buren vragen?'

Hij haalde zijn schouders op. 'Bij ons is er altijd wel een buurvrouw. Als de een niet kan, vraag je gewoon de ander.'

'O. Nou ja, in ieder geval, toen mochten we hiernaartoe. Mijn tante wilde al heel lang dat we eens kwamen.'

'En school dan?'

'Voor Andreas is het niet zo'n probleem.' Ze lachte. 'En voor mij hebben ze huiswerk bedacht.'

'Naar welke school ga je?'

'Het vwo. En jij?'

'Havo. Er is hier geen vwo.'

'Dat zei mijn tante ook al. Dan moet je naar Curaçao, hè? Is dat niet lastig?'

'Wel als je wilt studeren, later.'

Er schoot haar iets te binnen. 'Wil je soms medicijnen gaan studeren?'

Zijn gezicht ging dicht. Hij pakte een handvol zand en gooide die van zijn ene hand in de andere. Opeens begreep ze die schoenen. 'In Nederland kun je een studiebeurs krijgen,' zei ze achteloos. 'Voor als je op kamers moet gaan wonen, of als je ouders niet genoeg geld hebben, bijvoorbeeld.'

'Hier ook.' Hij keek naar Andreas, van wie alleen zijn voeten boven het water uitstaken. 'Maar dan zul je toch eerst je vwo-diploma moeten halen.'

'En dat kan alleen op Curaçao,' vulde ze aan.

Ze zwegen een poosje. Emma wriemelde met haar tenen in het zand. Opeens hoorde ze zichzelf zeggen: 'Wij zijn hier ook omdat onze ouders misschien gaan scheiden.'

Het was de eerste keer dat ze het woord hardop uitsprak. Omdat het zo'n nare klank had, voegde ze er meteen aan toe: 'Maar het is dus nog niet zeker.'

Roy gaf geen antwoord, en ze beet op haar lip. Wat mankeerde haar? Met niemand had ze hierover gepraat. Nou ja, met Ti, maar dat telde niet, die was familie.

'Mijn vader woont in Venezuela,' zei Roy. Hij kuchte. 'Tenminste, dat denk ik.'

Even werd ze boos. Zei hij dat om te laten zien dat er ergere dingen waren dan een paar gescheiden ouders? Maar toen zag ze hoe hij strak over het water bleef turen.

'Zie je hem wel eens?'

'Soms.'

'En, eh, je moeder?'

'Zij werkt. Ze zegt dat ze geen man nodig heeft. Een man is alleen maar een kind erbij, zegt ze.'

Emma zag haar vader voor zich, zoals hij – op zoek naar zijn agenda, een das, zijn pen – door het huis stampte, haar moeder in zijn kielzog, bezwerend op hem inpratend, feilloos de agenda, de das, de pen te voorschijn toverend.

Ze lachte; ze kon er niets aan doen.

Roy keek verbaasd op, lachte toen ook.

'En, eh, je vader…' vroeg Emma voorzichtig. 'Kan hij niet je studie voor je betalen?'

Hij haalde zijn schouders op.

'En je hebt geen familie op Curaçao?'

'Nee.'

Ze zwegen weer. Roy liet zand tussen zijn vingers wegstromen.

'Blijven jullie hier nog lang?'

Ander onderwerp, dacht Emma. Luchtig zei ze: 'Als Andreas niet verdrinkt, gaan we zo naar huis.'

Ze hield haar hand onder de zijne en het zand werd een bergje suiker in haar palm.

Hij glimlachte. 'Vind je het goed als ik meeloop?'

Ze gooide haar haren naar achteren. 'Waarom niet?'

Onderweg zei Andreas: 'Ik heb een koffervisje gezien. Denk ik.'

'Hoe zag hij eruit?' vroeg Roy. Hij ging naast Emma lopen, die de tas in haar andere hand nam.

'Bruinig. Met witte vlekken. En dik.' Andreas tekende een vis in de lucht. 'En met van die smakzoenlippen.'

Roy lachte. 'Jullie moeten naar Slagbaai gaan. Daar zitten er veel.'

'Gaan we ook,' zei Emma. 'Zodra mijn tante weer tijd heeft. Is het echt zo mooi daar?'

'Het is er nog net zo als heel lang geleden. Het is er…' Hij zocht naar het goede woord.

'Ongerept?'

Hij keek onzeker. 'Is dat… schoon?'

'Ja,' zei Emma. 'Of zuiver.'

Hij knikte. 'Er zijn veel vogels en er lopen wilde geiten. Als je gaat, moet je ook naar Put Bronswinkel, daar zitten leguanen.'

'Wat is dat, Put Bronswinkel?'

'Een zoetwaterbron.'

'Een leguaan is toch gewoon een hagedis?' zei Andreas.

'Nee, een leguaan is veel groter. Soms meer dan een meter lang. Wij noemen ze boomkip.'

'Boomkip?'

'Ja, ze smaken naar kip. Heel lekker. Ze hebben een grote kam op hun kop en ze hebben hier…' Hij wees onder zijn kin.

'Een lellebel,' zei Andreas.

Roy begon te lachen. 'Hoe zei je?'

'Een lellebel.'

Emma keek naar Roy, en weer had ze het gevoel dat hij iets bekends had, de manier waarop hij zijn hoofd hield, het groefje dat naast zijn mond verscheen als hij lachte.

Ze bleven staan bij de oprit naar Ti's huis.

'Gaan jullie morgen weer zwemmen?'

Emma keek naar Andreas. 'Misschien.'

Andreas grijnsde breed. 'Ikke wel. Maar zij moet huiswerk maken.'

'Moet jij niet naar school, morgen?' vroeg Emma.

'Jawel. Maar daarna.' Met de neus van zijn schoen tekende hij strepen in het zand.

'Oké. Tot morgen dan.'

'Ayó.'

Emma liep door naar achteren. Andreas slenterde achter haar aan. Aan het eind van de straat ging het portier van een rode auto open. Er stapte een man uit met een zonnebril op.

'Ah toe, Willem, leen mij jouw fiets.' Roy's benen trilden nog, en daarom hurkte hij naast Willem en keek toe hoe Willem met een lap elk denkbeeldig vlekje van zijn fiets poetste.

Willem wees naar zijn voorhoofd. 'Mi no ta loco.'

Hij tilde de fiets met één hand op, draaide hem om en zette hem zonder merkbare inspanning weer neer. Willem leek sprekend op zijn vader. Zijn vader was een Nederlander, een blonde Zeeuw die op zijn sokken een meter vijfennegentig mat. Willem was een meter zesennegentig en woog bijna honderd kilo. Zijn vaders haren waren bij Willem zwart, zijn vaders lichte huid was bij Willem koffiekleurig. Als zijn vader het negatief was, was Willem de foto. Het negatief was teruggegaan naar Nederland, de foto was op Bonaire achtergebleven. Willem mocht de Nederlandse bouw van zijn vader hebben, zijn karakter had hij van zijn Antilliaanse moeder, en die twee samen hadden deze vriendelijke reus opgeleverd. Willem was kaartjesverkoper en opzichter in het Nationaal Park Washington Slagbaai.

'Ah toe, Willem, één dag maar. Wat is één dag?'

'In een dag kan veel gebeuren.' Willem pakte een blikje vet en begon de velgen in te smeren.

'Ik zal er heel voorzichtig mee zijn. Er gebeurt niks. En als er iets gebeurt…'

'Ay!' Willem wees met zijn lap naar hem. 'Dat is het probleem, Roy. Dan heb jij geen geld om mijn fiets te vergoeden.'

Roy pakte met de moed der wanhoop ook een lap en begon aan het achterwiel.

'Alleen de middag, het hoeft niet eens de hele dag.' Hij rekende razendsnel. Vijf uur, had de man gezegd. 'Om halfzes breng ik hem terug.'

Hij smeerde een extra dikke lik rond het ventiel, keek om zich heen en liet zijn stem dalen. 'Ik heb een afspraakje.'

Willems grijns reikte van oor tot oor. 'Met een meisje?'

'Met wie anders?' Roy voelde dat hij terrein won.

'Maar hoe wilde je dat doen?' Willem krabde bedachtzaam onder zijn vechtpetje. 'Ik moet vroeg naar mijn werk, jij moet naar school.'

'Ik kom hem morgenochtend halen,' zei Roy hoopvol. 'En als jij van jouw werk komt, heb ik je fiets alweer teruggebracht. Ik zal hem meteen weer binnenzetten, jouw mami is toch thuis?'

Willem schroefde het deksel op het blikje. Hij ging in de schaduw op een omgekeerde emmer zitten en stak een sigaret op. Roy wachtte geduldig. Je moest Willem niet haasten.

Een manke kip kwam aangescharreld en pikte naar de lucifer. Willem greep de kip bliksemsnel onder haar vleugels, draaide haar om en bekeek haar poten. De kip tokte benauwd.

'Wacht.' Willem stopte de kip onder zijn arm en verdween naar binnen. 'Mami!'

Zonder kip kwam hij weer naar buiten.

'Wat was er met die kip?' vroeg Roy.

'Ik zocht haar al een paar dagen. Ze miste een paar tenen, de anderen pikten haar kapot. Het werd tijd dat ze in de soep ging. Vraag je mami of zij er ook van wil.'

'Dat zal ik doen.' Roy poetste, een en al zorgzame aandacht voor de fiets.

Willem gooide zijn sigaret weg en draaide de peuk met zijn hak in het stof. Hij hees zijn broek op. Een broek in camouflagekleuren was het. Willem droeg altijd legerkleren, hij vond dat die een officieel tintje aan zijn functie gaven.

'Gaat het wel goed met jouw mami?'

Roy haalde zijn schouders op. 'Je weet dat Carlos zou komen?'
Willem knikte. 'Zij maakt zich ongerust, no? En ze heeft niets meer gehoord?'
'Niets.' Roy stond op. Iets te haastig, want Willem keek hem opmerkzaam aan.
'Jij hebt ook geen idee wat er aan de hand is?'
'Natuurlijk niet.' Roy vouwde zijn lap zorgvuldig op en legde hem naast het blikje vet. 'Dus het is goed?'
'Wat is goed?'
'Van je fiets?'
Willem wreef over zijn brede borst. Hij bekeek zijn fonkelende fiets als een moeder haar pasgeboren kind en zuchtte.
'Okee, okee, okee.'
Roy gaf hem een klap op zijn schouder. 'Masha danki!'
'Ayó.' Willem pakte de fiets en tilde hem over de drempel. 's Nachts stond de fiets in de huiskamer, naast de televisie.

12

Ze ontbeten met z'n tweeën, want Ti was al vroeg naar de bank gegaan.

'Wat ga jij doen, vandaag?' vroeg Andreas.

'Huiswerk maken.' Emma lachte om zijn gezicht. 'Ik ben al bijna klaar. Dan kan ik die boeken in mijn koffer gooien en ze vergeten.'

'Maar je gaat toch wel mee zwemmen, vanmiddag?'

Ze boog zich opzij om Boris te voeren. Haar haren vielen voor haar gezicht. 'Natuurlijk.'

'Ik dacht ook al,' zei hij onschuldig.

'En wat ga jij dan doen, vanmorgen?'

'Cadeautjes kopen,' zei hij prompt.

Het winkeltje was nu open, en Andreas wees zorgvuldig aan wat hij wilde hebben. Het doosje en de flesopener liet hij inpakken, de armband stopte hij los in zijn broekzak, naast het uit Ti's keuken-la gejatte mesje.

Op het strandje ging hij onder de boom zitten, met zijn rug tegen de warme kademuur. Een eind verderop waren twee mannen bezig het asfalt open te boren; verder was de kade verlaten. Een diamantduifje hipte rond zijn voeten, op zoek naar iets eetbaars. Andreas telde de stenen in de armband. Het waren er achttien. Hij fronste. Eigenlijk had hij er eenentwintig nodig, maar geld voor nóg een armband had hij niet.

Hij zette de punt van het mes onder een van de haakjes die om de stenen waren geklemd en wrikte. Het haakje boog om en brak af.

Verontwaardigd pakte hij het op. Wat een flutarmband, en dat voor vijftien gulden.

Het volgende haakje brak niet, maar liet zich net zo gemakkelijk ombuigen. Een voor een vielen de stenen in zijn schoot. Ze hadden maar vier geslepen kantjes, en toen hij een steen tegen het licht hield, glinsterde die lang zo mooi niet als de echte.

Voor het eerst bekroop hem de twijfel. Zouden 'ze' niet meteen zien dat het nep was? En wat zouden ze dan doen?

De mannen waren met oorverdovend enthousiasme aan een nieuw gat begonnen, maar Andreas sloeg er geen acht op. Hij staarde naar het duifje, dat hem zo dicht genaderd was als het durfde. Andreas bewoog zijn tenen, en het duifje scharrelde achteruit.

Waarschijnlijk kwamen ze niet eens terug. Ze hadden immers het hele huis overhoop gehaald en niets gevonden?

Hij stopte de steentjes in zijn zak. Straks had hij voor niks vijftien gulden uitgegeven. Eigenlijk wist hij dat wel zeker. Bijna zeker.

Hij stond op en veegde het zand van zijn benen.

Thuis zat Emma nog boven haar boeken. Andreas sloot zich in hun kamer op en ging met naald en draad aan de slag. Daarna bewerkte hij de beer met Emma's haarborstel. Tevreden bekeek hij het resultaat. Van de naad was niets meer te zien, en de beer leek weer als nieuw. Hij nam hem mee naar buiten en zette hem weer onder de hibiscusstruik, maar nu wat meer in het gezicht.

Emma zat met haar vingers in haar oren en mompelde Engelse woordjes.

Roy had een glimmende mountainbike bij zich, die hij tegen de boom zette en zorgvuldig op slot deed. Met zijn schooltas in de hand kwam hij het strand op.

'Is die van jou?' Emma wees naar de fiets.

Hij schudde zijn hoofd. 'Van een vriend.'

84

Hij kleedde zich uit en liep naar het eind van de pier.

'Kom, Andreas. Wij gaan duiken.'

Andreas zwom gehoorzaam naar de kant. Roy liet hem duiken tot hij geen pap meer kon zeggen. Hijgend liet hij zich in het zand vallen. 'Heb ik nou mijn duikdiploma?'

Roy klopte hem op zijn schouder. 'Je bent geslaagd.'

Emma waadde ook naar de kant en schoof haar duikbril omhoog. 'Jullie hebben alle vissen verjaagd.'

'Die komen zo weer terug.'

'Roy kan veel beter duikles geven dan jij,' zei Andreas. 'Hij zegt tenminste niet dat ik stom ben.'

Roy glimlachte naar Emma.

Emma glimlachte terug. Ze keek naar de zon en spreidde haar handdoek uit in de schaduw van de boom.

'Weet je dat je hartstikke bruin bent, Dreas?'

'Wat is hartstikke?' vroeg Roy.

Ze lachten. 'Heel erg.'

Hij rolde zijn handdoek uit en ging naast Emma liggen. 'Vervelen jullie je nog niet, elke dag naar hetzelfde strandje?'

'Misschien gaan we aan het eind van de middag nog naar een ander strand,' zei Andreas. 'Als mijn tante klaar is met werken.'

'Welk strand?'

Andreas keek naar Emma. 'Hoe heette dat ook alweer, Em?'

'Playa Lechi.'

Roy knikte. 'Daar moet je met de auto naartoe, dat is te ver om te lopen.'

'Is het groot?'

'Nee. Bonaire heeft geen grote stranden, dan moet je naar Aruba.'

'Ben jij daar wel eens geweest?'

Hij schudde zijn hoofd. 'Ik ben nog nooit van het eiland af geweest.'

Andreas deed zijn mond open, maar Emma waarschuwde hem met haar blik.

'Wat moet je ook ergens anders als je op zo'n fantastisch eiland woont als dit?' zei ze luchtig. 'Wij zijn vreselijk jaloers op jou, hè Dreas?'

'Hartstikke,' zei Andreas.

Roy liet het zand tussen zijn vingers door glijden. Ze maakte een kommetje van haar hand en hij goot het in haar handpalm. Emma keek het eerst weg.

Andreas humde en Roy streek door zijn haar.

'Waar wonen jullie in Nederland?'

'In de buurt van Den Haag.'

'De moeder van een vriend van mij is een keer in Nederland geweest. In Tilburg. Is dat dicht bij Den Haag?'

'Nee joh,' riep Andreas. 'Tilburg ligt in het zuiden, en Den Haag in het westen.'

Emma kneep hem venijnig in zijn been. 'Als je in Nederland gaat studeren, moet je naar Amsterdam gaan. Dat is de leukste stad.'

'Ga je naar Nederland, later?' vroeg Andreas enthousiast. 'Misschien zien we je dan wel weer. Dat kan best, hè Em? Dan leren wij jou schaatsen.'

Roy schudde zijn hoofd. 'De kans dat ik naar Nederland ga, is erg klein. Maar als het gebeurt, dan leer jij mij schaatsen. Is dat moeilijk?'

'Niks aan.' Andreas sprong op. 'Je doet gewoon zo, en zo.' Hij demonstreerde het. 'En dan glij je vanzelf.'

Roy kwam ook overeind en deed hem na. Emma keek naar zijn smalle rug, die glansde in de zon en de kleur had van tabak.

'En waarom moeten je handen dan op je rug?'

'Dat hoort zo. En 't is ook voor tegen de wind. Wat ga je dan studeren?'

'Ik ga niet studeren.' Zijn lach verdween. 'Na school zoek ik een baantje.'

Emma stond onhandig op. 'Wij moeten naar huis, Ti komt zo thuis.

Of zullen we langs de bank lopen?'
'Ze ging toch eerst boodschappen doen?'
'O ja. Laten we dan maar naar huis gaan, ik heb dorst.' Ze haalde diep adem. 'Ga je mee iets drinken, Roy?'
Het klonk niet zo achteloos als ze wilde, maar het kon ermee door.

Emma zette glazen ijsthee op de tuintafel.
'De limoenen zijn op.'
'Zo is het ook lekker.' Roy nam een slokje en keek om zich heen. 'Wat een mooi huis is dit. Woont jullie tante hier helemaal alleen?'
Emma knikte. 'Ze woont al zes jaar op het eiland, en ze zegt dat ze hier nooit meer vandaan wil.'
'Maar…' Hij zweeg even. 'Misschien is het voor haar anders,' zei hij toen.
'Hoe bedoel je?'
'Als zij van het eiland wil, vliegt ze naar Nederland. Of ze gaat met vakantie ergens naartoe. Amerika, Venezuela.' Het verlangen klonk door in zijn stem.
'Hou je niet van Bonaire?'
'Ik hou heel veel van Bonaire, maar soms is het te klein.' Hij veegde bedachtzaam de druppels van het beslagen glas. 'Begrijp je?'
'Dat is toch juist leuk?' zei Andreas. 'Dan ken je iedereen. Bij ons in de straat kennen wij alleen de buren die naast ons wonen, verder bijna niemand.'
'Maar je ziet elkaar toch elke dag?' zei Roy verwonderd. 'Buiten, op het erf?'
'Jij vergeet dat het in Nederland acht maanden per jaar koud is,' zei Emma. 'Alleen in de zomer zijn de mensen buiten, dan zitten ze in hun tuin. En daar zetten ze een schutting omheen, of een hoge heg.'
'Waarom dan?'
'Dan hebben ze geen last van de buren.' Ze lachte om zijn verbaasde gezicht.

87

'Maar jouw tante, wil zij dan ook de buren niet kennen?'

'Jawel. Ti zegt dat ze zich soms meer Antilliaanse voelt dan Neder-landse.'

'Toch is dit een Nederlands huis.'

'Hoe zie je dat?'

'Buiten is het heel netjes. Dit is een tuin, niet een erf. En binnen is het ook anders, denk ik. Een jongen van school, die komt uit Nederland, en bij hem thuis hangt een klok met een vogeltje erin, ik weet niet meer hoe die heette. Ik had nog nooit zo'n klok gezien.'

'Een koekoeksklok.'

'Ja. En ze hebben twee soorten gordijnen, wit en gekleurd, en tapijt op de vloer.'

Tapijt gold als een teken van welvaart, maar dat zei hij er niet bij. Zijn moeder vond het prachtig, maar verkondigde luidop dat het alleen maar ongedierte aantrok.

'O, maar dat heeft Ti niet, hoor.' Andreas sprong op. 'Wil je het huis zien? Dat vindt Ti toch wel goed, Em?'

'Waarom niet?'

Roy stond dadelijk op.

Het duurde lang voor ze weer naar buiten kwamen. Emma hoor-de Andreas ratelen, Roy's zachte stem die iets antwoordde en An-dreas' lach.

'Roy vindt je een sloddervos,' verkondigde Andreas.

'Niet waar,' verdedigde Roy zich. 'Ik zei alleen dat als je zo'n grote kamer hebt...'

'Ik heb je heus wel zien kijken hoor, naar alle troep. Ik heb ook mijn verrekijker laten zien, Em. Roy zegt dat ik die mee moet nemen naar het park, voor de vogels. Wanneer gaan we nou?'

'Donderdag. Tenminste, daar had Ti het gisteravond over. Morgen moet ze nog werken.' Emma trok het elastiek uit haar natte haar en schudde het los. 'Ik kon mijn haarborstel nergens vinden, Dreas.'

Andreas keek verbaasd. 'Ik haal hem wel even.'

'Hier.' Hij gooide de borstel in haar schoot.

'Dacht ik het niet.' Met een vies gezicht bekeek ze de borstel. 'Moet je zien, allemaal pluis. Heb je er toch die beer mee geborsteld?'

Roy stootte zijn glas van de tafel.

Scherven vlogen in het rond, en Emma trok haar voeten op om de stroom ijsthee te ontwijken.

'Sorry, sorry.' Hij stond schutterig op. 'Ik zal het opruimen.'

'Nee joh, dat doen wij wel even.' Verwonderd zag ze hoe zijn handen trilden.

Andreas haalde veger en blik uit de keuken, en met zijn drieën verzamelden ze scherven en splinters. Andreas hield de beer omhoog. 'Hij moest echt met een borstel, Em, maar nou is-ie weer helemaal goed.' Hij lachte om Roy's gezicht. 'Ik heb hem gevonden,' legde hij uit. 'Op Schiphol. Iemand had hem vergeten.'

Roy fietste als een razende. Het zweet liep in zijn ogen, maar hij bleef trappen zo hard hij kon. Vijf uur, had de man gezegd. Nu was het bijna halfzes. Maar het zou idioot gestaan hebben als hij korter gebleven was. En in ieder geval wist hij nu dat Andreas de beer werkelijk had. Gevonden, zei Andreas. Hoe kon Carlos die beer verloren hebben?

Hij schoot een hoek om, stak een kruispunt over en ontweek op het nippertje een taxibusje.

Al van ver zag hij de rode auto op het zandpad staan. De man zat erin, raampjes gesloten. Hij gebaarde dat Roy af moest stappen, maar die bleef op zijn fiets zitten, een been op de grond.

Het portier ging open en werd dichtgesmeten. De man keek demonstratief op zijn horloge. Roy zei niets.

'En?'

'Ik weet waar hij is.'

'Maar je hebt hem niet?'

Roy schudde zijn hoofd. De ijsthee krampte in zijn buik.

'Wanneer?'

'U kunt hem zelf halen,' zei Roy. Hij trok zijn T-shirt los van zijn rug. 'Nu meteen, want ze gaan…'

De man rukte hem aan zijn shirt naar zich toe. Roy's voet schoot van de trapper en de fiets gleed weg en kletterde tegen de grond. Het stuur sloeg pijnlijk tegen zijn knie. Hij zag zichzelf weerspiegeld in de donkere brillenglazen, het wit van zijn ogen.

'Heb je me niet gehoord?' De man schreeuwde zo hard dat spuugdeeltjes Roy in het gezicht vlogen. 'Denk je dat ik hier voor de flauwekul sta?'

Roy werd zo hard door elkaar gerammeld dat zijn tanden op elkaar sloegen.

'Eh, eh?' De woede bedaarde even snel als hij was opgekomen. 'Vanavond. Hier. Negen uur. En waag het niet om met lege handen te komen.'

'Dat kan niet!' riep Roy. 'Ik…' Hij kreeg een harde klap in zijn gezicht, struikelde achteruit, verloor zijn evenwicht en viel boven op de fiets.

'Negen uur.'

Het geluid van de motor stierf langzaam weg. Roy krabbelde overeind, hees de fiets recht en bekeek hem. Het stuur stond scheef, een van de trappers was verbogen en over de glanzende lak van het frame zigzagde een venijnige kras.

'Ay, Dios!' Hij legde zijn gloeiende wang op het koele stuur en deed zijn ogen dicht.

Insecten gonsden in de warme lucht en roodbruin stof daalde geruisloos neer. Een hagedisje schoot over het pad en verdween achter een rots.

13

Roy rende. Ellebogen tegen het lichaam, shirt achter hem aan fladderend, zijn benen als zuigerstangen op en neer pompend. Twee lichtbundels haalden hem in en wierpen een ogenblik zijn rennende schaduw voor zijn voeten. Hij week uit naar de berm. De auto passeerde hem, en zijn schaduw kromp ineen en verdween. Zijn longen brandden, zijn passen werden korter en minder regelmatig en hij voelde de scherpe stenen dwars door de dunne zolen van zijn oude schoenen heen. In de verte doemden de lichten op van Kralendijk.

Het was bijna halfnegen toen hij langzaam de straat inliep, handen nonchalant in zijn zakken. Ter hoogte van het huis bleef hij staan, knielde en strikte zijn veters opnieuw. Hij gluurde opzij.
De auto stond op de oprit, op het terras brandde licht en er klonk gemurmel van stemmen.
Roy keek om zich heen. De straat lag verlaten, een eenzame lantaren verspreidde een vaal oranje licht. Zonder gerucht te maken sloop hij de oprit op en hurkte opzij van de auto. Hij leunde met zijn rug tegen het portier en probeerde het zich zo gemakkelijk mogelijk te maken, klaar voor een lange wacht. Zijn schoen schraapte over de grond, en in de tuin van de buren bewoog iets. Roy verstarde.
Takken kraakten en iets groots en donkers wrong zich snuivend en hijgend door de struiken. Roy probeerde zich zo klein mogelijk te maken, maar een warme, natte tong likte zijn wang, een massief, harig lichaam drukte zich tegen hem aan.

Roy stak zijn hand uit en klopte de hond op zijn hals.

'Weg!' fluisterde hij. 'Vooruit, naar de baas!'

De hond blafte.

Roy sloeg hem op zijn flank. 'Donder op!'

De hond blafte opnieuw. Hij had een diepe bas die weergalmde in de stille straat.

Er floepte een lamp aan, een deur ging open.

'Ta kén t'ei – wie is daar?' Een beverige oudemannenstem.

'Het is niets, buurman!' Roy herkende de stem van de tante. 'De hond scharrelt tussen de struiken.'

De buurman floot. De hond aarzelde en Roy gaf hem een zet. De hond draaide zich om en verdween.

'Ah, hier is hij al. Pasa bon anochi!'

'Welterusten!'

De deur ging dicht, de lamp bleef branden.

Het werd negen uur, kwart over negen, halftien. In het buurhuis gingen de lichten uit. Ook de lamp op het erf doofde; de oude man ging naar bed. Roy ontspande zich, strekte om beurten zijn verkrampte benen, bewoog zijn schouders. Nu die hond binnen was, kon hem weinig meer gebeuren. Hij hoorde Emma's stem, en toen de lichtere van Andreas.

'Mag ik hem dan helemaal uit kijken?'

De lach van de tante. 'Natuurlijk mag jij hem uit kijken, je hebt toch vakantie?'

Stoelen verschoven, kopjes rinkelden, een deur ging open, de hordeur ratelde, de buitendeur sloeg dicht.

Een film, dacht Roy, ze gaan televisie kijken. Traag kwam hij overeind.

Zijn gympen maakten geen geluid toen hij voorzichtig de oprit opliep. De stoelen stonden tegen de tafel gekanteld om het water van een eventuele nachtelijke regenbui weg te laten lopen, de tafel was leeg en de gordijnen die hij 's middags tot zijn opluchting had zien hangen – zo Nederlands was de tante toch wel dat ze gordijnen had – waren gesloten.

De beer grijnsde naar hem vanaf de rand van een grote bloempot waarin een rode oleander gloeide.

De man was er niet.

Roy stond hijgend op het donkere pad en probeerde zich te oriënteren. Daar was het grote rotsblok met de punt, daar stond de cactus waarvan een arm was gebroken die nu dwaas schuin naar beneden hing. Dit was de plek, geen twijfel mogelijk. Alleen was het geen negen uur, maar over halfelf.

Hij ging op het rotsblok zitten en haalde de beer onder zijn shirt vandaan. Doelloos draaide hij hem om en om in zijn handen. Nu de man er niet was, veranderde zijn opluchting in onzekerheid. Waarom was de man niet blijven wachten als die beer zo belangrijk was? En waaróm was die beer zo belangrijk? Was het een grap? Hij herinnerde zich de harde greep, de woede in de slissende stem, Carlos' koffer. Nee, natuurlijk was het geen grap. Voor hem was het dat nooit geweest, en voor de man ook niet. Die werkte voor 'de baas', en hij was bang voor de baas, maar nog banger om gepakt te worden. Anders zou hij het stelen van de beer niet aan hem, Roy, hebben overgelaten.

Zijn ademhaling werd rustiger, en nu hij zich de tijd gunde om na te denken, begreep hij eindelijk hoe de vork in de steel zat. Carlos had de beer aan de man moeten overdragen, misschien zelfs al hier op de airport. Andreas had in Nederland de beer meegenomen, het vliegtuig in, en de man was daar op de een of andere manier achtergekomen. Misschien had hij contact gehad met Carlos, of misschien had er zelfs iemand anders van de bende met hetzelfde vliegtuig gereisd. Hoe dan ook, alles draaide om die beer.

Roy kneep erin.

Diep in de buik voelde hij iets hards, maar in het flauwe maanlicht kon hij niet zien waar de beer was opengemaakt. Niet dat hij van plan was om wat er dan ook inzat, eruit te halen.

Hij stopte de beer terug onder zijn shirt en propte dat in zijn spijkerbroek. Weifelend stond hij op. Langer wachten had geen zin. Morgen zou de man ongetwijfeld komen opdagen, en dan was alles voorbij.

Thuis was alles donker. Zijn moeder ging altijd vroeg naar bed. Waarschijnlijk sliep ze zelfs al.

Zijn raam stond nog op een kier en behendig hees hij zich op, duwde de hor naar binnen en glipte door de opening. Hij sloot de hor, maar liet het raam wijdopen staan.

Hij schopte zijn schoenen uit, trok zijn doorzwete spijkerbroek en shirt uit en liet zich op zijn bed vallen.

De deur ging open en tegen de verlichte rechthoek tekende zich het ronde silhouet van zijn moeder af. Nog net had Roy tijd om de beer onder zijn laken te laten verdwijnen.

'Roy!' In haar stem klonk een mengeling van boosheid en berusting.

'Wat is er, mami?'

'Kuant'or tin?' vroeg ze scherp. 'Eh, eh? Weet jij wel hoe laat het is? Waar ben je geweest, Roy, zeg mij dat!'

'Ik…'

Ze deed het licht aan en hij schermde zijn ogen af.

'Waar ben je geweest?'

Hij zweeg.

Ze liep naar hem toe, haar blote voeten maakten petsende geluidjes op de stenen vloer.

'Kijk mij aan.'

Hij liet zijn arm zakken.

'Het was niets verkeerds, mami.'

'Er was hier een man,' zei ze. 'Eerst zat hij op de weg in zijn auto te roken. Ik zat op het erf en ik zag hem. Hij zat daar wel een uur en deed niets. Toen kwam hij het erf op en vroeg waar mijn zoon was. In zijn kamer, zei ik, huiswerk maken, en hij lachte. Hij ging weer in de auto zitten, en ik keek in jouw kamer en je was er niet. Ik ging naar hem toe en vroeg hem wat hij van je wilde, en hij zei dat mij dat niet aanging. En daarna ging hij weg.'

Roy zweeg.

Ze zette haar handen op haar heupen. Haar haren hingen los en haar ogen fonkelden. Ze leek op een oude danseres.

'Dat zei hij tegen mij, Roy. Dat het mij niet aanging, mij, je moeder.'

'Ik kan het niet zeggen, mami.'

'Precies wat Carlos altijd zei,' zei ze bitter. Ze boog zich naar hem over.

'Ik sta het niet toe, Roy. Hoor je mij? Ik zal niet toestaan dat jij slechte dingen gaat doen zoals je broer, en misschien je vader.'

Roy maakte een beweging, en ze lachte.

'Nu schrik je. Mannen denken altijd dat vrouwen dom zijn, dat ze de dingen niet begrijpen. Mi no ta loco, Roy. Ik vertel de buren en je tantes en iedereen die het horen wil dat mijn zoon Carlos in zaken is, en dat is hij ook. O ja, hij is in zaken! Hij heeft geen mooie diploma's en die zal hij ook nooit hebben, maar toch draagt hij dure kleren en een gouden ketting en hij vliegt de wereld rond alsof tickets gratis zijn, no?'

'Stop, mami.'

'Dit is mijn leven, Roy.' Ze maakte een alomvattend gebaar. 'Mijn kinderen, mijn huis, mijn erf. Meer is er niet. Denk je dat ik niet gedroomd heb, vroeger? Zoals je vader deed, zoals Carlos deed? Zij zijn ontsnapt, op hun eigen manier. Terwijl ik... Dit eiland...' Haar woede was bijna tastbaar. 'Dit eiland zit om mij heen als een tweede huid. Voor mij zal er geen ander leven meer komen.'

Roy zweeg.

Ze draaide zich om. 'Maar wel voor jou. En ik waarschuw jou, waag het niet om het te verknoeien.'

De deur ging achter haar dicht. Roy rolde zich op zijn buik en duwde zijn gezicht in zijn kussen.

Bijna ongeïnteresseerd bekeek hij de beer, trok de rozegevlekte strik eraf en gooide die op de grond, voelde rond de hals en tussen de poten. Daar liep een naad. Hij trok de vacht opzij en betastte de ongelijke, bobbelige steekjes. Hij kneep nog eens en voelde weer de harde knobbels in de buik. Wat het dan ook was, het waren geen drugs waarmee Carlos zich had ingelaten. Dat stelde hem gerust; Carlos deed verkeerde dingen, maar goddank bemoeide hij zich niet met drugs. En, besloot Roy, hij wilde niet weten waarmee Carlos zich dan wél bemoeide.

Hij stopte de beer in zijn schooltas en knipte het licht uit. De opluchting was allang verdwenen. Daarvoor in de plaats was er een gevoel van schaamte. Hij had Emma en Andreas bedrogen. Eerst gaf het niet; zij waren rijk, dus ze hadden geen problemen. Gewoon twee witte kinderen. Maar nu... Het eiland zou weer klein worden.

Hij dacht eraan hoe hij niet meer naar het strandje zou kunnen gaan, niet meer naast Emma zitten, met hun ruggen tegen de warme kademuur terwijl ze praatten over van alles en nog wat, niet meer kijken hoe ze met haar tenen in het zand wroette, hoe ze ongeduldig haar haren uit haar gezicht streek of naar hem glimlachte als Andreas toch weer met gebogen knieën dook. En daarna dacht hij aan Willem, en aan Willems gezicht toen hij de beschadigde fiets zag en luisterde naar zijn hakkelende leugens.

14

Hij nam de beer mee naar school, diep onder in zijn schooltas, en snauwde Javier af toen die zijn Engelse boek wilde lenen.

'Ik heb het niet bij me.'

'Het zit in je tas!' zei Javier. 'Kijk dan, man, het zit in je tas.'

Roy haalde het met zijn rug naar hem toe uit zijn tas en smeet het op de tafel. 'Hier.'

'Danki,' zei Javier sarcastisch. 'Ga je mee zwemmen, vanmiddag?'

'Nee.'

Javier spreidde zijn armen. 'Heb ik je meisje afgepakt? Je mami beledigd? Je oma uitgescholden?'

'Ik moet op Gina passen,' verzon Roy haastig. 'De buurvrouw is ziek.'

'Alweer?' Javier sloeg het boek open dat geen boek was, maar een stel aan elkaar geniete kopieën. De school had te weinig boeken en loste dat op deze manier op.

De lerares Engels kwam binnen. 'Goedemorgen, kinderen.'

De klas stond op. 'Goedemorgen, juffrouw.'

Roy zakte weer op zijn stoel neer en steunde zijn hoofd in zijn handen. Voor het eerst sinds zijn kleutertijd had er geen glas thee voor hem klaargestaan toen hij opstond. Willems moeder had vanochtend zijn groet niet beantwoord. De leugens stapelden zich op tot een berg waar hij niet meer overheen kon kijken.

Hij zuchtte onhoorbaar. Hij moest aan geld zien te komen. Willems vertrouwen zou hij er niet mee terugwinnen, maar in ieder geval kon hij hem dan betalen voor de schade aan zijn fiets.

Het viel Andreas pas op na het ontbijt, toen Boris zich al tevreden had teruggetrokken nadat hij de andere hagedisjes de stuipen op het lijf had gejaagd, en Ti naar de bank was gerammeld in haar autootje. 'Een paar uurtjes maar, jongens.'

Het kwam door Emma's pen die op de grond viel nadat ze hem achter haar oor had gestoken en met een zucht van opluchting haar grammaticaboek dichtsloeg. De pen rolde in de richting van de grote bloempot waarin de oleander bloeide, en Andreas hield hem met zijn voet tegen en raapte hem op.

'Hè?'

Emma trok haar stoel wat meer onder de parasol. 'Wat is er?'

Andreas gaf geen antwoord. Hij keek naar de vuurrode oleander, waarmee de roze beer zo prachtig had gevloekt toen hij hem gistermiddag op de rand zette.

'Waar kijk je naar?'

'Niks, eh, nergens naar.' Hij wendde zijn blik af en liet de pen op de tafel tollen, terwijl in zijn hoofd de gedachten hetzelfde deden.

'Wat doe je raar?'

'Dittuh... dit was toch mijn pen?' brabbelde Andreas. Ter verduidelijking hield hij hem omhoog.

'Op je ogen,' zei Emma vriendelijk. Ze graaide hem de pen uit zijn hand. 'Jij hebt alleen maar rode, weet je nog?' Ze zwaaide de pen voor zijn neus heen en weer. 'En wat voor kleur is dit?'

'Roze,' zei hij gedachteloos, en toen ze in lachen uitbarstte, verbeterde hij: 'Blauw.'

'Volgens mij ben jij niet uitgeslapen,' plaagde Emma.

'Uitgeslapener dan jij,' pareerde hij.

Hij was weg! De beer was weg! 'Ze' waren teruggekomen! Dat moest 's nachts gebeurd zijn, terwijl zij lagen te slapen. Een huivering gleed langs zijn ruggengraat.

Waarom waren ze niet eerder teruggekomen? Of misschien hadden ze dat wel gedaan, maar hadden ze de beer niet gevonden. Pas sinds gistermiddag stond de beer op de bloempot, nadat Roy zijn glas had omgestoten en ze met zijn drieën de scherven hadden opgeruimd. Wat zouden ze doen als ze de beer openmaakten en zagen dat er nepstenen in zaten? Hij huiverde weer, en Emma keek hem opmerkzaam aan.

'Wat heb je, Dreas?'

Hij mompelde iets, en schouderophalend verzamelde ze haar boeken en multomap en verdween naar binnen.

Met bonzend hart pakte Andreas Tom Sawyer weer op. Hij was bij de scène in de kerk, waarop hij zich zo had verheugd, maar deze keer kwamen de woorden niet verder dan zijn netvlies. Steeds weer dwaalden zijn ogen naar de weg, alsof hij elk moment verwachtte mannen te zien opduiken met een panty over hun hoofd en zwaaiend met pistolen.

Hij hoorde Em zingen onder de douche, en hij overwoog haar alles te vertellen. Maar ze zou kwaad worden, hem verwijten dat hij haar niet eerder had ingelicht, of, nog erger, ze zou het misschien aan Ti willen vertellen. En dan was het leed niet te overzien.

Bovendien, hield hij zichzelf voor terwijl hij een bladzij omsloeg die hij nog niet gelezen had, de kans was groot dat ze níet terug zouden komen. Waarschijnlijk, nee, bijna zeker, zouden ze denken dat er al in Nederland iets was misgegaan. Wie zou verwachten dat hij, Andreas, negen jaar en bijna zes maanden oud, een misdadigersbende te slim af zou zijn?

Die gedachte stelde hem gerust, en maakte hem heimelijk ook een beetje trots.

De rode auto stond niet bij de school en Roy bleef weifelend staan. Moest hij nu wachten of niet?

Javier verdween te midden van een troep schreeuwende jongens en jaloers keek hij hem na. Maar toen bedacht hij dat uiterlijk die avond zijn problemen zouden zijn opgelost, of in ieder geval het grootste gedeelte ervan, en iets opgewekter sloeg hij de weg naar huis in.

De auto stond bij de steen met de punt, en Roy's mond werd droog. Onwillekeurig ging hij langzamer lopen. Opnieuw prentte hij het nummerbord in zijn geheugen, ook al wist hij dat hij niet de moed zou hebben naar de politie te gaan. Die zou willen weten waarom hij niet met de beer was gekomen; of de man zou wraak nemen op Gina vóór ze hem te pakken kregen. *Als* ze hem te pakken kregen.

Het had ook geen zin meer; hij was nu medeschuldig, al wist hij dan ook niet precies waaraan.

Het portier ging open en de man stapte uit. Geen pak deze keer, maar een dunne lichte broek en een zwart overhemd, de mouwen opgerold tot de elleboog. Een armband met dikke gouden schakels hing om een van de pezige polsen.

Een hand werd uitgestoken. Roy maakte zijn tas open en overhandigde zwijgend de beer. De man bekeek de roze vacht nauwlettend, kneep in de beer en knikte.

Bobbels, dacht Roy. Harde bobbels. Wat konden het zijn?

'Brave jongen.' De man draaide zich om en wilde in zijn auto stappen.

'Ik wil geld.' Roy schrok er zelf van, maar toen de man verbaasd omkeek, herhaalde hij: 'Ik wil geld.' Zijn stem was krakerig.

Een meewarig lachje. 'Ga naar je moeder, *moço*, dit is de grotemensenwereld.'

'Ik heb de beer afgeleverd,' zei Roy koppig. 'U zou mijn broer ook betaald hebben.'

De man bekeek hem opmerkzaam, alsof hij zoveel lef niet verwacht had. Hij lachte weer, tastte in zijn zak en gooide een dollarmunt voor Roy's voeten, alsof hij zich van een lastige bedelaar wilde ontdoen.

'Ga weg, voor ik je kapotmaak.' Hij draaide zich opnieuw om en opende het portier.

Roy's bloed bonsde in zijn oren. Een dollar. Had hij daarvoor al die moeite gedaan? Was dat de beloning voor zijn angst? Hij keek naar de dollar die spottend glinsterde in de zon, en al zijn opgekropte woede barstte naar buiten.

Hij liet zijn tas vallen, vloog de man op zijn rug en rukte aan zijn haar. De man, verrast, zakte door zijn knieën. Roy beukte met gebalde vuist tegen de zijkant van zijn hoofd. De man struikelde, viel tegen het portier en gleed op de grond. Roy zat boven op hem en sloeg de zonnebril van zijn neus. Wilde triomf schoot door hem heen. Ik kan hem hebben, dacht hij, het is maar een mager mannetje, ik zal hem laten zien dat...

Het volgende moment lag hij languit tussen de cactussen. Hoestend krabbelde hij overeind.

De man wachtte hem op met over elkaar geslagen armen. Maar Roy's drift was nog niet gezakt. Als een dolle stier rende hij met gebogen hoofd naar voren. Een vuist onder zijn borstbeen stopte hem abrupt. Zijn tanden sloegen op elkaar, en opeens waren zijn knieën van rubber. Op handen en voeten hapte hij naar lucht.

Een hand hees hem op.

'Genoeg?'

Roy schudde zijn hoofd om het helder te krijgen. Vlekken dansten voor zijn ogen en nog steeds deden zijn longen niet wat hij wilde.

'Genoeg?'

Roy knikte traag. De hand liet los. Het portier werd geopend.

'De groeten aan je broer.'

Roy bukte zich, raapte de zonnebril op en brak hem in tweeën. Hij smeet de stukken naar binnen. De man stak zijn arm uit om het portier dicht te trekken, maar Roy klemde zijn vingers om de bovenrand.

'De volgende keer,' zei hij hees, 'de volgende keer verm…'
Het portier sloeg met een klap dicht.

De pijn kwam pas na een paar seconden. Een witgloeiende, trillende pijn die al het andere wegvaagde.
Roy hoorde het portier niet opnieuw dichtslaan, hoorde de motor niet starten, hoorde de auto niet wegrijden.
Hij staarde ongelovig naar de vingers van zijn rechterhand die nu al – nu al – begonnen op te zwellen.
Een hoog, jankend geluid kwam uit zijn keel. Hij klapte dubbel, stopte zijn hand tussen zijn dijen, viel op zijn knieën en kokhalsde. Rolde zich op zijn zij, als een kind dat gaat slapen. Hij was zich er niet van bewust dat hij huilde.
Minutenlang bleef hij zo liggen, terwijl de zon in zijn nek brandde, de pijn veranderde in een bonzend kloppen en zijn vingers groeiden en groeiden, tot hij het gevoel had dat ze uit de huid zouden barsten. Het zweet liep in straaltjes van zijn gezicht, maar hij deed geen poging het weg te vegen.
Gebroken. Alle vier zijn vingers moesten gebroken zijn. Hij moest naar huis, maar daar was niemand. Wat dan? Naar een dokter. Hoe kwam hij daar?
Hij hees zich overeind tot hij op zijn knieën lag. Misselijkheid golfde door hem heen, en in zijn mond was een ijzersmaak, de smaak van bloed. Hij keek naar zijn hand. Over vier vingers liepen brede, blauwzwarte strepen, de duim stak er vreemd licht bij af. Niet alleen licht, ook dun. De vingers zagen eruit als worstjes, en de huid glom alsof hij zich gebrand had.
Beverig stond hij op, raapte met zijn andere hand zijn schooltas op en begon te lopen.

Willem was al thuis. Zijn fiets stond ondersteboven op het erf en Willem zat er op zijn hurken naast, legerpetje achterstevoren op zijn hoofd, prutsend aan de verbogen trapper. Hij keek niet op toen Roy's schaduw over hem heen viel.

'Willem,' zei Roy schor.

'Bon tardi.'

Roy hurkte naast hem. 'Luister, Willem.'

Willem inspecteerde zijn trapper.

'Ik moet naar de dokter, Willem.'

Willem vergat zijn trapper en zijn boosheid. 'Is jouw mami ziek? De buurvrouw zei dat ze bij Conchita is geweest.'

Roy liet hem zijn hand zien.

'Djiesus,' zei Willem.

Willem kon alles regelen, en deze keer regelde hij een auto. Roy's idee van de huisarts wuifde hij weg. Van die vingers moesten foto's gemaakt worden, en dat kon een gewone dokter niet.

Terwijl Willem de auto regelde, zat Roy met zijn hand in een pan water met ijsklontjes en paste op de fiets.

Twintig minuten later waren ze op weg naar het ziekenhuis, Roy met de pan op schoot.

'Hoe kwam het?' vroeg Willem nonchalant.

'Tussen een deur gezeten.'

'Ah.' Willem draaide zijn pet met de klep naar voren. 'Op school?'

'Ja.'

'Ah.' Willem ontweek de laatste kuil in het pad en draaide de asfaltweg op. 'En op school kon niemand je helpen?'

'Iedereen was al weg.' Zijn vingers waren nu zo koud dat Roy niet zeker wist of ze nog pijn deden. Hij bewoog ze voorzichtig tussen de smeltende ijsklontjes. Ze deden nog pijn.

Willem knikte. 'Dus jij gooide zelf de deur dicht terwijl jouw vingers er nog tussen zaten?'

'Ik…' begon Roy en zweeg.

'Je hoeft mij niets te vertellen,' zei Willem aanmoedigend. 'Jij bent gewoon een pechvogeltje.' Hij hief de armen ten hemel. 'Man!' Zijn handen kwamen met een klap neer op het stuur. De claxon loeide, maar Willem lette er niet op.

'Man! Jij hebt meer pech dan heel het eiland bij elkaar, no? Eerst met mijn fiets gevallen, en nou jouw hand tussen de deur.' Hij klakte meewarig met zijn tong.

'Ik kán het niet vertellen,' zei Roy wanhopig.

'Maar ik zou zo graag,' zei Willem alsof hij hem niet gehoord had, 'ik zou zo graag de man die dit gedaan heeft…' Hij liet het stuur weer los en maakte een draaiende beweging met zijn grote handen. 'En dan nog even…' Hij stootte een knie omhoog. De auto slingerde. 'Begrijp jij, Roy?'

Roy knikte. Maar hij zei niets.

Later lag hij in bed met zijn verbonden hand hoog op zijn kussen en kon niet slapen. De vingers zaten ingezwachteld alsof hij een boksring in moest. Ze waren niet gebroken, maar zwaar gekneusd. Zeer zwaar, had de dokter gezegd die de foto maakte, en hij had Roy onderzoekend aangekeken.

Zijn moeder had het verhaal van de klasdeur aangehoord met scheefgehouden hoofd.

'Jij hebt natuurlijk gevochten,' zei ze met een mengeling van boosheid en trots. En toen hij wilde protesteren: 'Nee, ik wil niet weten waarom.'

Aan tafel had ze zijn eten voor hem fijngemaakt, zodat hij het met zijn linkerhand met een lepel kon eten. Gina had kusjes op het verband gegeven, zijn schooltas voor hem naar zijn kamer gesjouwd en was daarna weggehuppeld met een lapje om de hand van haar pop te verbinden.

Roy staarde naar de vage omtrek van de omkrullende poster van de Amerikaanse honkbalploeg die aan zijn muur hing. Buiten trok een auto met gierende banden op, ergens mekkerde een geit.

Wat zou de man nu doen? Was hij nog op het eiland, of al per schip onderweg naar zijn baas? Er lagen altijd boten in de haven, binnen een dag zat je in Venezuela. En van daaruit…

Brazilië!

Hij hoorde weer de slissende stem: 'Ga naar huis, moço.' Moço was Portugees voor jongen. De man was een Braziliaan, vandaar zijn accent. Waarom had hij dat niet eerder begrepen? En de harde bobbels in de beer – hij durfde er zijn andere vier vingers om te verwedden – de harde bobbels in de beer waren smaragden. Kort-geleden nog stonden er verhalen in de kranten over ruwe sma-ragden die vanuit de garimpo – de mijn – via Venezuela of de Antillen naar Nederland werden gesmokkeld om daar te worden geslepen, waarna ze weer naar Brazilië teruggingen om voor veel geld te worden verkocht. In Nederland woonden de beste slijpers ter wereld, dat leerde je al op school.

Carlos smokkelde smaragden, en blijkbaar had de politie in Neder-land daar lucht van gekregen en hem aangehouden.

Maar hoe had Carlos ervoor gezorgd dat Andreas de beer voor hem had meegenomen naar Bonaire? Andreas zei dat hij hem gevonden had, dat een meneer hem vergeten was. Die meneer moest Carlos zijn. Andreas wist niet wat er in de beer zat, anders was hij er niet zo zorgeloos mee omgesprongen.

En hoe kon de Braziliaan weten dat Andreas de beer had? Er moest nóg een man zijn. Een – hoe moest je dat noemen, een contact-persoon. Vertrouwden ze Carlos niet en was die daarom in de gaten gehouden? Carlos was opgepakt op de Amsterdamse lucht-haven, dat stond wel vast. Daarom was zijn koffer zonder hem naar Bonaire gereisd.

Carlos zat nu in een Nederlandse politiecel, en de Braziliaan was bang dat hij zijn mond voorbij zou praten. Hij was bang en had haast. Op dit moment zat hij waarschijnlijk op een schip tevreden zijn smaragden te bekijken.

Roy dacht aan de lege fotolijst op de kast. Arme mami. Honderd gulden had ze aan Conchita betaald. En hij kon haar niet vertellen dat het weggegooid geld was. Dat haar zoon niet ziek was, of op geheimzinnige wijze verdwenen, en dat zelfs Conchita's brua hem niet uit een cel zou kunnen bevrijden.

Hij verlegde zijn hand om een koel plekje op het kussen te vinden. In zijn vingers klopte het bloed op de maat van zijn hartslag.

15

'Wat willen jullie liever, naar de ezels of naar Piedra Haltu?' vroeg Titia.

'Wat is Piedra Haltu?' wilde Andreas weten.

'Hetzelfde als Mil Trapi,' zei Ti met een uitgestreken gezicht.

'Wat is…'

'Mil Trapi is Thousand Steps.' Ti lachte.

'Ja maar, wat is…'

'Duizend Treden,' zei Emma. 'Ja toch, Ti?'

'Wat is dan Duizend Treden?' gilde Andreas.

'Een van de mooiste plekjes van het eiland,' zei Ti. 'Het is een laaggelegen baaitje, en een prachtige duikplaats. Je moet een in de rotsen uitgehouwen trap af om er te komen.'

'En heeft die duizend treden?' vroeg Andreas vol ontzag.

'Eigenlijk maar vierenzestig,' legde Ti uit.

'Maar jij zei…'

'Even wachten, stukje ongeduld. Het heet Duizend Treden omdat, als je er gaat duiken, je met die zware uitrusting naar beneden moet en later weer omhoog; dan is het net alsof je niet vierenzestig, maar wel duizend treden op en af moet.'

'Naar Mil Dinges,' besloot Andreas.

'Kan het niet allebei?' vroeg Emma. 'Die ezels zitten toch in een soort opvangtehuis?'

Ti knikte. 'Er is een stichting in het leven geroepen die zich bekommert om oude of zieke wilde ezels. Die mensen zijn blij met elke bezoeker, omdat ze altijd geld tekortkomen.'

'Dan gaan we toch eerst even naar die ezels,' zei Andreas groot-moedig.

Ze zetten Ti's koekblik op de parkeerplaats van het ezelreservaat en liepen het zanderige terrein op. Achter hen draaide een stoffi-ge rode auto het pad op. De bestuurder vouwde een kaart van Bonaire open en begon die te bestuderen.

De ezels waren met z'n twintigen en ze zagen er niet best uit, vond Andreas. Sommige hadden grote kale plekken en de meeste waren broodmager. Hij probeerde er een te aaien, maar de ezel sprong weg en begon verwoed in de droge grond te graven.
'Krijgen ze nou dan wel genoeg te eten?' vroeg hij.
'Jawel,' zei Ti. 'Maar de meeste zijn al oud. Die zullen hier de rest van hun leven wel blijven. Er zijn veel wilde ezels op het eiland, vooral aan de noordkant. Die zullen jullie nog wel zien als we mor-gen naar Slagbaai gaan.'
'Dus we gaan wel?' Andreas straalde. 'Hoor je dat, Em?'
Emma had vriendschap gesloten met een mank donkergrijs ezel-tje. Ze voerde hem crackers en aaide de grote zachte oren.
'Jij moet uit de zon, Em,' zei Titia. 'Ik zie je benen rood worden.'
'Zullen we naar die Duizend Treden?' Andreas had de ezels nu wel gezien.
'Wil je de toren niet beklimmen?'
'Ik wel,' zei Emma. 'En ik wil ook binnen kijken. Daar verkopen ze souvenirs.'
Geduldig klom hij achter hen aan de houten toren op, en zelfs hij moest toegeven dat het uitzicht schitterend was.

In het winkeltje was het koel, en er hingen T-shirts met ezels erop.
'Daar ga je toch niet in lopen.' Andreas zag zich al op school ver-

schijnen met een ezelskop op zijn borst. De jongens zouden zich rotlachen.

'Ik vind ze leuk,' zei Emma. 'Ik koop er een voor mamma. En ook een voor mezelf.'

'Draagt Jeanne dat?' vroeg Ti voorzichtig.

Emma grijnsde. 'Thuis wel. En misschien stemt het tot nadenken.'

Andreas keek op, maar hij zei niets. Hij had een houten ezeltje in zijn hand. Het hout was mooi gevlamd en glad als satijn. Het ezeltje had de kop in de nek geworpen en de ranke pootjes gespreid alsof het zich schrap zette. Dit was geen gemakkelijk ezeltje, dacht Andreas. Dit was een ezeltje dat wist wat het wilde, en vooral wat het níet wilde.

Hij zette het terug, pakte het opnieuw op.

'Wil jij die?' vroeg Ti, en tot zijn verbazing wilde hij het inderdaad graag hebben.

'Maar ik heb niet genoeg geld meer.'

'Je krijgt hem van mij,' zei Ti. 'En jij dat shirt, Emma.'

'Maar...' protesteerden ze gelijktijdig.

'Niks maar. Ik vind het zo heerlijk om jullie hier te hebben en jullie mijn eiland te laten zien. Kom, we gaan naar Thousand Steps.'

De weg slingerde zich langs de kust, boog af en kronkelde weer terug.

Ti's auto had geen airco, zodat alle raampjes openstonden. Andreas hing zijn voeten buitenboord, Emma's haar fladderde wild om haar gezicht.

'Alles goed, jongens?'

'Kon niet beter,' zei Emma zielstevreden.

Ti somde namen op van de plekken waar ze langsreden. La Machacha, Barcadera, Witches Hut. Ze stopten op een kleine parkeerplaats.

'Ik zie de trap!' Andreas stond al buiten, zijn flippers in de aanslag.

'Neem alleen je snorkel maar mee. Die flippers kun je beter in de auto laten, het water is hier nogal ruw,' adviseerde Ti.

Ze daalden de trap af.

Op de parkeerplaats stopte een rode auto.

Het reepje komvormige kust was verlaten. Ze schroeiden hun voetzolen op de witte keien waartegen groenblauwe golven uiteenspatten. Achter hun rug weerkaatsten de rotsen de hitte van de middag. Andreas keek verrukt om zich heen. 'Er is hier niks!'

'Alleen geluk.' Ti stond met haar voeten stevig gespreid, het hoofd achterover, de zon glanzend op haar armen. 'Ik wist wel dat het jullie zou bevallen.'

Emma bukte zich en raapte een schelp op. 'Kom je hier vaak?'

'Zo vaak ik kan.' Ti lachte bijna verlegen. 'En dan blijf ik een half-uurtje; meestal is dat genoeg.'

'Waarom is er niemand?' vroeg Andreas. 'Als het toch zo'n beroemde duikplaats is?'

Ti haalde haar schouders op. 'Er zijn zoveel goede duikplaatsen. Bonaire krijgt zo'n zeventigduizend duikers per jaar, maar eigenlijk valt dat nauwelijks op.'

'Logisch, die zitten natuurlijk altijd onder water.' Emma stond al in haar bikinibroekje, haar T-shirt op haar buik bij elkaar geknoopt. 'Kom, Dreas!'

Ti had ook haar duikbril opgezet en nam hen een eind mee uit de kust, waar het water rustiger was. Ze wees hun het hertshoornkoraal, het steenkoraal, de egelvis, die, toen ze te dichtbij kwamen, zich tot een bal opblies en zijn stekels opzette.

Ze dreven tot het zout in witte vegen op hun rug opdroogde en Ti gebaarde: zullen we teruggaan?

Met nog vochtige haren reden ze naar Kralendijk en streken neer op een terras.

Met zijn mond vol salade knikte Andreas naar een handgeschreven plakkaat dat aan de muur hing.

'Wat staat daar?'

Ti las het vluchtig. 'Een bokswedstrijd, donderdagavond. Het wereldkampioenschap zwaargewicht. Dit is het enige café waar het wordt uitgezonden. Had je interesse?'

Andreas keek naar de enorme televisie die hoog aan de muur hing. Hij schudde zijn hoofd. 'Ik wou alleen maar weten wat er staat.'

'Het zit hier bomvol, donderdag,' voorspelde Ti. 'Ik hou niet van boksen, maar op zich is het leuk om de reacties van het publiek hier gade te slaan. Iedereen heeft zijn eigen favoriet, en ze maken zich verschrikkelijk...'

Emma stond half op uit haar stoel. 'Roy, hee Roy!'

Aan de overkant liep Roy, zijn zusje aan de hand. Hij stak een hand op, maar maakte geen aanstalten over te steken.

'Kom wat drinken!' riep Andreas. 'Dat mag wel, hè Ti?'

'Natuurlijk. Is dat die jongen die jullie op het strandje hebben ontmoet?' Ti wenkte, en Roy zei iets tegen Gina, die lachte en wuifde met haar onafscheidelijke pop.

'Wat heeft-ie aan zijn hand?' vroeg Andreas.

Roy liep tussen de tafeltjes door, Gina voor zich uit duwend. Hij bleef voor hun tafeltje staan en stak houterig zijn linkerhand uit naar Titia.

'Roy Buchiri, mevrouw. En dit is Gina.'

'Bon tardi,' zei Ti vriendelijk. 'Neem een stoel. Willen jullie iets drinken?'

Roy schudde zijn hoofd. 'Dank u, mevrouw. We zijn op weg naar...'

Gina trok aan zijn mouw en fluisterde iets. Ti verstond het en lachte.

'Gina heeft dorst. Jullie hebben vast wel even tijd voor een cola.' Ze wenkte de serveerster.

Roy trok twee stoelen achteruit, plantte Gina op de ene en ging zelf op het puntje van de andere zitten.

'Wat is er met je hand?' vroeg Emma.

Hij keek haar vluchtig aan en haalde zijn schouders op. 'Een ongelukje.'

Andreas wees naar het plakkaat. 'Ook gebokst?'

Er trok een lachje om zijn mond. 'Nee.'

'Tussen de deur,' zei Gina helder. 'Jouw hand kwam tussen de deur, no?'

Ti fronste haar wenkbrauwen. 'Dat moet pijn gedaan hebben. Heeft er een dokter naar gekeken?'

Hij knikte.

'En is er niets gebroken?'

'Nee mevrouw, alleen gekneusd.'

Emma nam hem zijdelings op. Zijn ogen stonden dof en hij had zijn T-shirt achterstevoren aan. Niets voor Roy, die zelfs zijn spijkerbroek zorgvuldig opvouwde voor hij ging zwemmen.

De cola kwam. Gina legde haar pop op tafel en begon verzaligd aan het rietje te zuigen.

Emma schoot in de lach. 'Heeft jouw pop ook met haar hand tussen de deur gezeten, Gina?'

Gina knikte en bekeek trots het goorwitte lapje om het handje van haar pop.

'En heeft Roy haar toen verbonden?'

Gina schudde nee en wees op zichzelf.

Emma pakte de pop. 'Het valt er bijna af. Zal ik het even opnieuw doen? Want Roy kan het nu niet, met zijn zere hand.'

Gina keek hulpzoekend naar Roy, die in rad Papiaments vertaalde. Ze knikte genadig.

Emma trok het lapje eraf, streek het glad en begon het om het poppenarmpje te draaien.

'Dus Roy heeft jou zo goed leren duiken, Andreas?' vroeg Ti.

Andreas gaf geen antwoord. Hij keek naar het lapje, waarop roze vlekken zaten. Een lapje dat geen lapje was, maar een strik. Zijn vork viel kletterend uit zijn hand op de grond. Hij raapte hem niet op, maar hield zijn ogen gevestigd op het lapje. Roy volgde zijn blik.

'Andreas,' drong Ti aan.

Andreas keek op. Hij was bleek onder zijn bruine huid, en hij keek niet naar Ti, hij keek naar Roy. Roy zette behoedzaam zijn half-volle glas neer, bukte zich en raapte de vork op. Hij legde hem zachtjes op tafel.

'Alsjeblieft.'

Andreas zei niets. Zijn ogen waren donker in zijn witte gezicht.

'Wat heb je, Dreas?' vroeg Ti bezorgd.

'Niks.' Andreas veegde de vork af aan zijn servet, prikte er nauw-gezet een blaadje sla aan en bracht het naar zijn mond. Hij begon te kauwen.

Roy zei iets tegen Gina, die protesteerde en op haar glas wees. Hij herhaalde het, maar koppig zoog ze aan haar borrelende rietje.

'Laat haar even rustig drinken,' lachte Ti. 'Jouw glas is trouwens ook nog niet leeg.'

Emma raakte Roy's arm aan. 'Morgen gaan we naar Slagbaai.'

'O.' Hij pakte zijn glas en dronk het met grote slokken leeg. 'En wanneer gaan jullie terug?'

Emma kleurde gevoelig. 'Zaterdag.'

'Zaterdag!' Er was een zweem van opluchting in zijn stem, en Emma's kleur werd dieper.

Roy's ogen dwaalden naar Andreas, die in zijn salade rondspitte als hoopte hij daarin Romeinse munten te vinden. Andreas keek op. Er was iets uitdagends in zijn blik.

'Jammer hè?'

'Voor jullie wel.' Roy's stem was schor, maar hij sloeg zijn ogen niet neer.

Emma begon aan haar nagels te pulken.

Andreas schudde lichtjes zijn hoofd, en één moment glansden Roy's ogen op. Hij boog zich naar Gina.

'We moeten gaan, kom.'

Gina's rietje weigerde nog langer te borrelen, en gehoorzaam klom ze uit haar stoel.

'Dank u voor de cola, mevrouw.'

Ti glimlachte. 'Beschouw het als dank voor de duiklessen.'

Roy glimlachte ook. Hij stond op.

Andreas schoof zijn stoel naar achteren om ruimte te maken.

Roy's verbonden hand streek langs zijn schouder.

'Dank je, Andreas.'

Hij gaf Gina haar pop en stuurde haar voor zich uit.

'Ayó, Emma.'

'Dag.' Emma's gezicht ging schuil achter haar haren.

'Een rustige jongen,' vond Ti terwijl ze haar portemonnee te voorschijn haalde en de serveerster wenkte.

Emma zweeg grimmig. Andreas luisterde niet.

'En wat een lief ding, dat zusje. Niet Emma?'

'Heel lief.' Emma bestudeerde haar nagels, waarvan er nu nog acht lang waren.

'Zo beleefd, Antilliaanse kinderen,' verzuchtte Ti.

Andreas schoot hikkend in de lach.

Ti trok haar wenkbrauwen op. 'Met jou gaat het weer goed, geloof ik.'

'Met mij gaat het prima,' zei Andreas vastbesloten.

's Avonds keken ze televisie en speelden scrabble. Emma was kribbig, Andreas was stil. Ti bekeek hem onderzoekend.

'Jij moet eens vroeg naar bed, geloof ik.'

'Ik ben klaarwakker,' protesteerde hij.

Maar Ti hield aan. 'Em, wat denk jij ervan? Ik heb geen verstand van kinderen.' Ze lachte.

'Ik ook niet.' Emma fronste haar voorhoofd. 'Heb je last van je buik, Dreas?'

'Van mijn buik?'

'Ja, van die schaafwond.'

Hij haalde ongeduldig zijn schouders op. 'Dat is allang over.'

Ti geeuwde. 'Misschien moeten we allemaal een keer op tijd naar bed. Des te vroeger kunnen we naar Slagbaai. Vergis je niet, het is geweldig, maar erg vermoeiend.'

Andreas' ogen lichtten op. Hij ging wat rechter op zijn stoel zitten. 'Moet ik mijn flippers mee? Em dacht van niet. En de kijker?'

'Flippers niet, maar wel je snorkel en de kijker. Ik heb vers fruit gekocht vanmiddag, en help me onthouden dat we veel water meenemen. Ik heb al flessen koud staan in de koelkast.'

'Kunnen we daar niet iets kopen?' vroeg hij verbaasd.

'Er is daar niks.' Ze lachte om zijn gezicht. 'Geen terrasjes, geen hamburgertent, geen snackbar. Het is echt de wildernis.'

Emma geeuwde ook. 'Ik wil eigenlijk best naar bed. Ik ben bekaf en ik weet niet waarvan.'

'Ik wel,' zei Andreas en grijnsde verontschuldigend toen ze hem nijdig aankeek.

'Komt door de hitte,' zei Ti opgewekt. 'Het duurt langer dan je denkt voor je daaraan gewend bent. En zeker voor jullie, die nu in de Nederlandse kou zouden moeten zitten.'

Emma keek naar haar boeken die op de bank lagen. 'Op school hebben ze nu repetitieweek,' deelde ze achteloos mee.

Ti trok haar wenkbrauwen op. 'Wisten ze dat thuis?'

'Ik kan me niet herinneren of ik het verteld heb.' Emma slenterde naar de deur. Ze mompelde nog iets.

'Wat zeg je?'

'Welterusten.'

'Wat zei ze?' vroeg Ti toen de deur dicht was.

'Dat ze wel andere dingen aan hun hoofd hadden.'

'Dreas,' zei Ti, terwijl ze het spelbord dichtklapte en in de doos deed, 'misschien moet ik het niet vragen, maar dat moet je je ouwe tante dan maar vergeven. Je hebt toch geen heimwee?'

Hij keek haar met heldere ogen aan. 'Nee.'

Ze streek hem over zijn haar, dat stug was van het vele zwemmen. 'Als het wel zo is, moet je het eerlijk zeggen. Het is niets om je voor te schamen. Zelf had ik een keer heimwee toen ik al zo oud was als Emma. Vreselijk was dat, ik voelde me doodongelukkig.'

Hij schudde zijn hoofd. 'Ik vind het wel fijn om weg te zijn. Een béétje fijn,' verbeterde hij. 'Alleen soms is het raar.'

'Raar?'

'Zoals toen eergisteren mijn beste vriend jarig was. Maar als...'

Ti gooide de overgebleven letters in de doos. 'Maar als?'

'Als pappa en mamma ruzie maken, wil ik er liever niet bij zijn. En nu hoef ik niet weg te lopen, dat is wel prettig.'

Ti legde de letterplankjes zorgvuldig recht. 'Maken ze vaak ruzie?'

Ze had dezelfde handen als mamma, dacht Andreas. Breed, met sterke vingers en korte nagels met duidelijke maantjes.

'Niet vaak,' zei hij bedachtzaam. 'Maar wel lang. Dus dan lijkt het vaak.'

Ze knikte. 'Dat is naar.'

Hij reikte haar de deksel aan. 'Em en ik maken ook wel ruzie, maar anders. Over gewóne dingen. En we zijn het zo weer vergeten.'

Ti wreef over haar gezicht.

Andreas stond op. Bij de deur zei hij: 'Overmorgen komen zij al weer thuis.'

Ti legde eindelijk de letterplankjes in de doos. 'Ik weet het.'

'Em zei, dat ze misschien...' Hij aarzelde. 'Maar een week vakantie is niet erg lang, hè?'

'Nee,' zei Ti. 'Maar soms is het lang genoeg.'

Hij had alleen heimwee naar hoe het vroeger was, vóór de ruzies en de stiltes, bedacht hij toen hij in bed lag. Maar daar wilde hij nu niet aan denken. Eigenlijk was het wel goed dat Ti en Emma geloofden dat hij daarover piekerde. Hij keek naar het andere bed, naar de roerloze hoop die Emma was. Em was net een kat, die rolde zich op en sliep.

De witte strik… Roy had niet bij hen willen gaan zitten, dat kon je duidelijk merken. Maar hij had niet geweten dat Gina de strik van de beer voor haar pop had gebruikt.

Wat zou Roy nu doen? En waarom had híj de beer gestolen? Betekende dat dat Roy ook bij Ti had ingebroken? Hij draaide zich om, stompte zijn warme kussen in model.

'Kun je ook niet slapen?' fluisterde Emma.

'Veel te warm,' zei Andreas.

'Ik zet de airco wel weer aan.' Ze gleed uit bed, draaide de knop om en kroop weer onder het laken. 'Trusten.'

Ze vouwde haar armen achter haar hoofd en na een poosje werd haar ademhaling diep en regelmatig.

Andreas was klaarwakker. Hij luisterde naar een auto die langzaam voorbijreed. In de neus van zijn schoen zat nog steeds het zakje met de stenen, en het begon tot hem door te dringen dat hij een domme streek had uitgehaald. Want Roy zat in de problemen. Roy was vijftien, maar een jaar ouder dan Emma, en hij kon zich Em niet voorstellen terwijl ze rondsloop met kostbare edelstenen. Er moest iemand zijn voor wie Roy die beer had gestolen. En die iemand zou onherroepelijk ontdekken dat er nepstenen in zaten. Wat zou er dan met Roy gebeuren? En waarom had hij het gedaan? Voor het geld?

Roy was arm, zei Em. Je kon het ook zien. Hij droeg zo'n kermishorloge, en de schoenen die hij aanhad verkochten ze voor een schijntje bij de supermarkt.

Hij herinnerde zich de aandachtige ernst waarmee Roy naar zijn buik had gekeken, en hoe hij met handige vingers zijn zusjes pop verbond. Roy wilde graag dokter worden, en volgens Em moest hij daarvoor naar Nederland. Dat kostte natuurlijk veel geld. En als je erg arm was, en toch dingen wilde die andere mensen ook deden…

Hij keerde zijn kussen om en gooide het laken van zich af. De airco zoemde zachtjes, en de koele luchtstroom streek langs zijn warme lijf.

Pappa zei altijd dat je nooit moest oordelen voordat je alles wist, omdat je je anders verschrikkelijk kon vergissen.

Hij draaide zich op zijn zij en legde zijn hand onder zijn wang. Hij moest Roy waarschuwen. Maar hoe?

16

Roy had Gina zo vroeg als hij dat met goed fatsoen kon doen naar de buurvrouw gebracht. Nu was hij op weg naar Willem. Hij rende, zijn schooltas bonkte tegen zijn heup. Er zaten geen boeken in de tas, alleen brood, fruit en water. Vandaag ging hij niet naar school.

Door het rennen begonnen zijn vingers te kloppen, maar hij minderde geen vaart. Hij moest Willem zien vóór die naar zijn werk ging.

De kippen, die vredig op het erf liepen te pikken, stoven uiteen toen hij met grote stappen tussen ze door liep. Willem was nog thuis. Hij zat aan tafel en las de Amigoe. Zijn fiets stond knus naast de televisie.

'Bon día,' zei Willem, maar Roy had geen tijd voor beleefdheden.

'Waar is jouw mami?'

'Naar de vismarkt.'

'Bon.' Roy ging zitten. 'Willem, je moet me helpen.'

Een brede glimlach trok over Willems gezicht. Hij vouwde de krant op, pakte zijn petje en zette het achterstevoren op.

'Ik luister.'

Roy legde zijn verbonden hand op de tafel en haalde diep adem.

'Vertel mij nog een keer het kenteken,' zei Willem toen ze op weg waren naar het park.

Roy herhaalde het en Willem knikte.

'Jij blijft in het kantoor. Die vent moet jou niet zien.' Hij ontweek een overstekende hagedis. 'Wat een geluk dat de jeep weer gemaakt is!' Grijnzend keek hij opzij. 'Anders had jij achter mijn fiets aan moeten hollen, boy.'

Roy lachte gespannen. Hij bewoog zijn schouders. Op de linker zat een blauwe plek, zo hard had de man hem gisteren vastgegrepen. Hij had Roy's hand, zijn goede hand, op het portier van de auto gelegd en dat zachtjes dichtgeduwd. Beschaamd herinnerde Roy zich zijn angst, en hoe hij, over zijn woorden struikelend, had bezworen dat hij het niet geweten had. Hoe hij gedacht had dat alles nu in orde was. Dat hij de beer in de tuin gevonden had, en dat de kleine jongen niets kon weten van de stenen, dat er in Nederland iets mis moest zijn gegaan.

Het had niet geholpen. Toen de man wegging, wist hij alles. Waar de tante werkte, waar Emma en Andreas altijd gingen zwemmen, wanneer ze weer naar Nederland zouden gaan en dat ze vandaag naar Slagbaai gingen.

Hij plukte aan zijn schooltas vol eten en wist nu al dat hij er geen hap van door zijn keel zou kunnen krijgen.

'Het wordt steeds droger,' zei Emma terwijl ze naar het landschap wees.

Titia knikte. 'Het lijkt al op het park. Alleen is hier de weg geasfalteerd.'

'Is daar wel een weg?' Andreas zat achterin, tussen de handdoeken, de verrekijker, de camera en de tassen met eten en drinken.

'Zeker wel,' zei Ti. 'Er loopt een route door het park die je moet volgen. Maar de weg is niet meer dan een pad, vol hobbels en kuilen.' Ze klopte op het stuur. 'Ik ben benieuwd hoe dit ouwe beestje zich zal houden.'

'En als je nou een lekke band krijgt, komen ze je dan redden?' vroeg Emma.

Ti lachte. 'Na sluitingstijd rijden ze het park rond om te zien of er geen achterblijvers zijn. Maar daar zou ik niet graag op wachten.'

'Zo groot is het toch niet?'

'De langste route is vierendertig kilometer.'

'Dat doe je in een halfuurtje,' berekende Andreas, maar Ti schudde haar hoofd.

'Wij gaan hier bijna een dag over doen, en niet alleen omdat we zoveel mogelijk gaan bekijken. De weg is zo slecht dat je alleen in de eerste, en soms in de tweede versnelling kunt rijden.'

'Hoor je dat, Em?' zei Andreas tevreden.

Bij de ingang van het park wees Ti naar de zongebleekte schedels die aan het hek waren gehangen.

Emma huiverde. 'Wat zijn dat?'

'Geiten.'

Andreas had het fototoestel al in de aanslag.

Ti parkeerde en ze liepen naar het gebouwtje waar kaartjes werden verkocht.

'Wacht op mij!' Andreas had de schedels van veraf en heel dichtbij genomen. Als je zo'n foto liet vergroten, kon je de jongens op school er lekker van laten griezelen.

'Bon día.' Achter de balie stond een reus met een vechtpetje op en een camouflagebroek aan. Hij schonk hun een stralende glimlach en wees op Andreas.

'Hoe oud?'

'Negen,' zei Andreas waardig.

'Half geld.' De reus lachte verontschuldigend, en Andreas lachte terug.

Ti kreeg een plattegrondje en de man begon uit te leggen dat de langste route geel gekleurd was en de kortste groen.

'Ik weet het,' zei Ti. 'Ik ken het park.'

'U woont hier?'

Ze knikte en zei iets in het Papiaments. De reus keek naar Emma en Andreas en vroeg iets. Ti ratelde terug. Hij knikte tevreden. 'Masha danki.' Ti pakte de toegangskaartjes aan.

In de auto bekeek Andreas zijn kaartje en borg het zorgvuldig in het tasje van zijn fototoestel. Em zei altijd dat hij net een eekhoorn was, maar als ze straks thuis waren, zou ze met hem gaan onderhandelen over alles wat hij wel bewaard had en zij niet.
'Wat zei die man, Ti?'
Ti manoeuvreerde voorzichtig door het hek. 'Hij vroeg of ik soms bij de bank werkte. En of jullie uit Nederland kwamen en hoe lang jullie bleven.'
'Maar hij had het over het park. Hij zei parke.'
'Klopt, wijsneus. Hij hoopte dat we ervan zouden genieten.'

'Waar moet ik op letten?' vroeg Andreas, die de plattegrond op schoot had.
Ti meesmuilde. 'Eigenlijk nergens op. Ik ben hier al zo vaak geweest. Maar die man stond erop dat ik er toch eentje meenam.'
'O.' Teleurgesteld begon hij de kaart dicht te vouwen.
'Nee nee,' zei Ti haastig. 'Je moet die kaart wel bij de hand houden. We kunnen echt niet alles bekijken, dan zijn we morgen nog bezig. Dus jullie moeten af en toe een keus maken. Ik stel voor dat we in ieder geval uitstappen bij Playa Chikitu en bij Boka Chikitu. Playa omdat je daar goed kunt zien hoe ruig de kust aan deze kant is, en Boka…' Ze zuchtte overdreven. 'Boka omdat jullie natuurlijk weer schelpen willen zoeken.'
'Tuurlijk willen we dat,' zei Andreas verontwaardigd. 'Ja toch, Em?'
'Zijn dat bijzondere schelpen?' wilde Emma weten.
'Het zijn bijenkorfjes en ze liggen voor het oprapen. Maar alleen bij Boka, dus ze zijn toch bijzonder. En als jullie daar durven af te dalen heb je kans op zo'n mooie prehistorische.'

'Net als bij de Willemstoren?'

'Ja.' Onverhoeds trapte Ti op de rem, zodat ze naar voren schoten.

'Wat…' begon Emma, maar Ti legde een vinger op haar lippen. 'Daar!'

Boven op een metershoge zuilcactus zaten twee papegaaien met gele vleugels en een knalgroen-met-gele kop.

'Lora's,' zei Ti zacht. 'Alleen Bonaire heeft ze, en er zijn er niet veel meer. Vroeger werden ze gevangen en verkocht, vooral naar Curaçao.'

'Lorre,' mompelde Emma, en Ti knikte.

'Je kunt ze heel gemakkelijk leren praten, daarom waren ze zo gewild. Ze leverden een hoop geld op.'

Andreas schutterde met de camera en Emma draaide zich om. 'Laat mij even.'

Snel maakte ze een paar foto's, en net op tijd, want de lora's krijsten en stegen op in een warreling van kleuren.

'Oh!' Andreas zuchtte van verrukking.

'Jullie boffen,' zei Ti droog. 'Je ziet ze lang niet altijd, en zeker niet zo vlak bij de ingang.'

'Hou jij de camera maar,' zei Andreas grootmoedig. 'Dan neem ik de kijker wel.'

Emma lachte. 'Handig geprobeerd, broertje, maar straks ruilen we een keertje.'

'Denk je dat ik met de verrekijker kolibri's goed kan zien?' vroeg Andreas.

'Mmm,' zei Ti. 'Om eerlijk te zijn, nee. Ze zijn te snel en te klein. En bovendien kun je ze niet benaderen, daarvoor zijn ze te schuw.'

Ze hotsebotsten verder over het pad, terwijl Ti zoveel mogelijk de kuilen ontweek en Emma en Andreas met verbazing om zich heen keken. Ze reden door een woud van cactussen. Cactussen met armen die zich zes, zeven meter hoog naar de hemel strekten, omgevallen cactussen, bruin geworden en hard als hout, jonge cactusjes, nog frisgroen, die dicht opeen uit de gebarsten rode aarde opschoten.

Emma draaide zich om. 'Dit zou oma leuk gevonden hebben.'

'Hoezo?'

Ze grijnsde. 'Ze hield toch zo van cactussen?'

'O ja!' Andreas wist het weer. 'De hele vensterbank stond propvol. Met van die petieterig kleine. Maar ze prikten toch. Ik bleef er altijd achter haken.'

'Dat kwam omdat jij geen gezeglijk jongetje was. Je bleef nooit netjes op je stoel zitten.'

Ti lachte. 'Terwijl oma dat zo op prijs gesteld zou hebben.'

'Ze was streng, hè?' zei Emma nadenkend. 'En vreselijk ouderwets. Hield ze eigenlijk wel van kinderen?'

'Ze kreeg er drie,' zei Ti nuchter. 'En ja, ik denk van wel. Op haar manier. Maar kinderen moest je niet horen en niet zien. Kinderen zijn hinderen, zei ze. En ze hield niet van rommel, ook al niet toen wij nog klein waren. Wij moesten altijd op onze kamer spelen.'

'Ze stuurde wel altijd een cadeautje met je verjaardag,' herinnerde Andreas zich.

'Zakdoekjes,' zei Emma. 'Of een kloek boek.'

'Pyjama's,' grinnikte Andreas.

'Zijn jullie niet een beetje hardvochtig? Vergeet niet dat ze al in negentienvijfentwintig geboren is. Dat was een heel andere tijd. Ze trouwde ook nog laat en kreeg dus ook pas laat haar kinderen.'

'Daarom hoef je toch niet zo, zo…' Andreas zocht naar het goede woord.

'Steil,' zei Emma.

Hij knikte. 'Steil te worden?'

'Ach.' Ti haalde haar schouders op. 'Ze bedoelde het goed, maar ze kon haar gevoelens slecht uiten. Ze was geen knuffelmoeder, als je dat bedoelt.'

'Mamma ook niet,' zei Emma.

Ti wierp een vlugge blik opzij. 'Nee. Jeanne lijkt op haar.' Ze wees. 'Geiten.'

Een schonkige geitenfamilie rende tussen de cactussen door, de grote voorop, de jonkies achteraan.

'Vandaar al die schedels bij de ingang,' begreep Emma. Ze trok haar T-shirt los van de bekleding en wapperde zich koelte toe.

'Wat ik niet snap is hoe dit zo'n groot park kan zijn, terwijl Bonaire eigenlijk zo klein is. Hebben ze die ruimte dan niet nodig?'

'Vroeger was het een plantage,' legde Ti uit. 'Of eigenlijk twee plantages. Pak een handdoek, en leg die over de rugleuning, dat scheelt. De laatste eigenaar was Julio Herrera, en toen die ziek werd en voorvoelde dat hij zou sterven, heeft hij zijn bezitting te koop aangeboden aan de overheid, omdat hij bang was dat zijn prachtige plantage anders zou veranderen in een toeristenoord. Een van zijn voorwaarden was dat het een natuurreservaat zou worden. Daar heeft de overheid zich aan gehouden. Er is een stichting in het leven geroepen die het park beheert. Een jaar of tien later kon de stichting er nog een plantage bijkopen, Slagbaai, en dat maakt dat het park nu zo'n tweeëntwintigduizend hectare groot is. En het is uniek, dat kan ik je wel vertellen.'

Ze stopte. 'Kijk, daar is Saliña Matthijs, een van de oude zoutpannen. In de regentijd lopen die vol, en dan zitten er flamingo's.'

'Zoals nu.' Emma wees.

Andreas stelde zijn kijker in. 'Tjee! Je kan ze bijna aanraken, Em, als je hier doorheen kijkt.'

Emma streek haar handdoek glad. 'Waarom heette die ene plantage Slagbaai, Ti?'

'Eigenlijk is het Slachtbaai,' zei Ti. 'Vroeger werden daar de geiten geslacht, gezouten en naar Curaçao verscheept. Toen was het een belangrijke haven. Het slachthuis staat er nog, en ook het magasina, de opslagplaats van het zout. Behalve flamingo's zitten daar ook roodhalsreigers, Dreas; je moet straks maar goed opletten.'

Ze bekeken Playa Chikitu, lieten de sterke stroming aan hun benen trekken en verwonderden zich over de metershoge golven die schuimendwit tegen de rotsen opspatten. Ze raapten bijenkorfjes bij Boka Chikitu en voerden de hagedissen die bij tientallen op hen afrenden zodra de auto stopte.

Ze lunchten in de schaduw van de auto met brood en fruit en lauw water. Lora's scholden elkaar uit, spotlijsters schaterden boven hun hoofd en suikerdiefjes pikten de kruimels op tot vlak bij hun voeten.

Ti keek op haar horloge. 'Jullie hadden toch wel begrepen dat we lang niet alles kunnen zien?'

'Ik wil naar Put Bronswinkel,' verkondigde Andreas.

Emma trok haar benen op, die te lang waren om in de schaduw te passen.

Ti bekeek haar rozerode schenen en schudde haar hoofd. 'Jij blíjft verbranden, hè? Heb je zonnebrandcrème meegenomen?'

'Vergeten. Nou ja, eigenlijk heb ik een hekel aan dat spul, ik word er zo zweterig van. Net of je in plastic verpakt wordt.' Emma sloeg haar armen om haar knieën. 'Zullen we een telegram naar huis sturen, Dreas?'

'Wat moet erin staan?'

'Kom ons maar halen.' Ze goot het laatste restje water over haar hoofd, schroefde de dop op de lege fles en gooide hem in de auto. 'Wat was er ook alweer bij Put Bronswinkel?'

'Een zoetwaterbron,' zei Ti. 'Vogels. Geiten. Leguanen.'

'O ja!' Andreas veerde op. 'Boomkip!'

Ti schoot in de lach. 'Hoe weet jij dat nou?'

'Dat zei Roy. Of is het niet waar?'

'Zeker is het waar. En als je geluk hebt...'

'Wat dan?'

Ti lachte en stond op. 'Zeg ik niet.'

Bij Put Bronswinkel liepen ze het laatste stuk om de vogels niet te storen. Andreas wees naar een boom waarin iets hing wat nog het meest leek op een langwerpig nest.

'Wat is dat?'

'Een boombaard,' zei Ti. Ze greep zijn arm toen hij struikelde. 'Pas op waar je loopt. Je had eigenlijk niet die dunne slippertjes moeten aantrekken. Die cactusstekels gaan overal doorheen.'

Voorzichtig werkten ze zich tussen de struiken door. Bij de bron stond een geitje te drinken dat op hun nadering ogenblikkelijk op de vlucht sloeg. Ti legde haar vinger op haar lippen en wees omhoog.

Hoog in een boom zat een leguaan, zijn gestreepte staart elegant om een tak geslagen.

'Hij is wel een meter lang!' fluisterde Emma.

Ti knikte. 'Ze kunnen nog wel groter worden. Let op, hij klimt naar beneden.'

'Daar is er nog een!' Andreas stond geluidloos te dansen van opwinding. 'Tussen de struiken! Em, maak een foto. Gauw, voor hij weg is!'

De leguaan ging niet weg. Integendeel. Hij had hen ook gezien, en hij kwam doelbewust op hen af, zijn kam recht omhoog, de kwab onder zijn kin trillend bij elke beweging.

Emma keek naar Ti.

'Was dit de verrassing?'

'Bijna,' zei Ti. 'Let op.'

Ze haalde een stuk brood uit haar zak en ging op haar hurken zitten. De leguaan scharrelde naar voren, de zware staart achter zich aan slepend, tot hij pal voor haar stond. Ti stak haar hand uit.

De leguaan verhief zich op zijn achterpoten. Met precieze hapjes at hij van het brood, en toen Ti een stukje liet vallen en het wilde oprapen, griste hij het razendsnel van de grond.

Andreas schuifelde voetje voor voetje vooruit. Hij stootte haar aan.

'Laat mij!' fluisterde hij smekend.

Ze gaf hem de rest van het brood, en geduldig liet hij het uit zijn hand eten, terwijl Emma achter elkaar foto's stond te nemen.

'Daar laat ik er een van vergroten voor mamma,' zei ze zachtjes tegen Ti.

Ti kneep haar in haar arm. 'Is hij niet roerend?'

Emma hing de camera om haar hals. 'Die leguaan of Dreas?'

'Allebei,' zei Ti.

'Ik weet nog steeds niet hoe je dit nu moet noemen,' zei Emma toen ze op weg waren naar Slagbaai.

'Bedoel je het landschap?'

Emma knikte. 'Ik zoek naar een woord, maar ik kan er geen vinden.'

'Desolaat,' zei Ti. De zon stond nu aan haar kant van de auto en ze spreidde haar handdoek beter over haar blote benen. 'Altijd als ik hier ben, komen de woorden woest en ledig bij me op.'

Ze zag een kuil over het hoofd en het stuur schoot uit haar handen. De auto maakte een rare slinger, en op een haar na ramden ze een cactus.

'Hee!' Andreas hees zich weer op de achterbank.

'Zo leeg is het hier nou ook weer niet.' Emma, haar filosofische bui alweer vergeten, wreef haar elleboog, die in onzachte aanraking was gekomen met het portier.

Ti was midden in een lesje plantkunde en net toe aan de kalebasbomen die ze absoluut moesten bewonderen bij Saliña Slagbaai, toen de motor ermee ophield. Hij hoestte, sputterde en sloeg af. Ze stonden bijna onmiddellijk stil. Het linkervoorwiel gleed nog net in een flinke kuil, en de auto schommelde zachtjes na.

'Godsamme,' zei Andreas.

Ti sloeg woedend op haar stuur. 'Hier wen ik nou nooit aan! Alles beloven, maar doen ho maar. Ik wurg die monteur.'

Ze stapte uit, gooide de motorkap open en tuurde in het inwendige.
'Helpt dat?' vroeg Emma belangstellend.
'Nee,' zei Ti grimmig. 'Vorige week is hij gerepareerd. Ik was hem drie dagen kwijt terwijl het een klusje was van een halfuur, en die jongen heeft me bezworen dat het euvel verholpen was. Ik vond het geluid nog steeds niet helemaal goed klinken, maar zolang hij reed…' Ze veegde haar nek droog met haar petje, smeet het toen in de auto. 'Ach, het kreng hangt ook van ijzerdraad aan elkaar. Vandaag of morgen plemp ik hem in de haven.'
Emma en Andreas stapten ook uit.
'Hij klonk net als je buurman,' zei Emma. 'Hetzelfde kuchje.'
Andreas giechelde. 'Rookt-ie ook pijp?'
'Lach maar,' zei Ti. 'Het enige dat nu helpt, is een slepie. En waar haal ik dat vandaan?'
'Kunnen we hem niet aanduwen?'
Ti wees naar het voorwiel. 'Dat krijgen we nooit uit die kuil als ik moet sturen en jullie tweeën duwen.'
'Zal ik sturen?' vroeg Emma.
'Kun je ook schakelen? Of liever, weet je hoe je hem vanuit zijn twee moet starten?'
Emma schudde haastig haar hoofd.
'We staan ook nog midden op de weg,' zei Ti geïrriteerd. 'Als er een auto aankomt…'
Emma en Andreas lachten.
Ti keek verbaasd, lachte toen ook. 'Ja, stom. Maar toch.'
'Hoe ver is het nog naar Slagbaai?' vroeg Andreas.
'Hooguit een kilometer. Minder, denk ik.'
'Dan ren ik toch naar Slagbaai. Jij zei dat daar meestal wel mensen zijn.'
Ti weifelde. 'Dat is zo. Slagbaai is nu eenmaal een plek die je niet mag missen. Er wordt daar veel gedoken. Maar om jou nu… En in die hitte…'

'Ik ga wel mee,' bood Emma aan, maar Ti schudde haar hoofd.

'Nee Em, dat wil ik beslist niet hebben. Jij bent al veel te veel in de zon geweest vandaag. Kijk eens naar je benen? Ik kan beter zelf gaan. Jullie spreken ook geen Papiaments.'

'Dat is onzin,' vond Emma. 'Als er mensen zijn, zijn het vast toeristen. En trouwens, stel dat er hier intussen een auto komt die kan helpen? Wij kunnen niet rijden.'

Andreas had al een fles water gepakt. 'Deze is nog halfvol, mag ik die meenemen?'

Ti keek hulpeloos naar Emma.

'Laat hem maar,' zei Emma. 'Zie je niet dat hij staat te trappelen om de held uit te hangen?'

Andreas stak zijn middelvinger op.

Ti aarzelde nog steeds.

'Wat kan er gebeuren?' vroeg Emma praktisch.

'Niks. Hij kan die gebouwen niet over het hoofd zien. En verdwalen kan ook niet, de weg loopt er recht naartoe.'

'Nou dan. Maak dat je wegkomt, Dreas.'

'Even m'n petje.' Hij zette het achterstevoren op zijn hoofd om zijn nek te beschermen. 'Tot straks.'

Opgewekt draafde hij weg.

'Dat houdt hij nooit vol.' Ti was het er maar half mee eens.

'Om de bocht remt hij af,' zei Emma kalm. 'Toen hij nog op de kleuterschool zat begon hij, als hij was gevallen, pas op de hoek van onze straat te huilen. Eerder vond hij zonde van de moeite. Zullen we in de auto gaan zitten? Ik sta hier te schroeien.'

Ti's kilometer was een tikje optimistisch berekend. Toen de gebouwen van Slagbaai opdoemden schuurde het stof onaangenaam tussen de bandjes van Andreas' slippers, en zijn T-shirt kleefde aan zijn rug.

De schitterende baai was halfrond, met een paar reusachtige kale rotsen die uit zee oprezen. Ook op het strand lagen stukken rots en her en der stonden groepjes spichtige divi-divi's. Tegen die ruige omgeving staken de keurig okergeel geverfde gebouwen met hun vrolijke rode pannendaken merkwaardig af.

Andreas had er geen oog voor. Hij zag een paar auto's staan, zo dicht mogelijk onder de divi-divi's geparkeerd en allemaal dik onder het stof. Er stond een landrover tussen. Die moest hun auto met gemak uit die kuil kunnen trekken, dacht hij verheugd.

Hij keek naar het smalle strandje. Twee mannen in duikuitrusting stonden op het punt het water in te gaan. Op een klapstoeltje in de schaduw zat een dame met de kin op de borst te dutten. Ze droeg een zonnehoed en een heftig gekleurde bermuda. Twee kinderen speelden in haar buurt. Verderop, onder een boompje, zat een man in een krant te bladeren.

Andreas overwoog zijn kansen en besloot zijn geluk bij de mevrouw te beproeven. Hij liep naar haar toe en kuchte. Ze reageerde niet. Van onder de zonnehoed klonk een licht gesnurk.

'Mommy!' riep een van de kinderen.

De mevrouw schrok op. 'Yes?'

Amerikaans, dacht Andreas teleurgesteld. Maar hij besloot het toch te proberen.

'Hello,' zei hij. Dat klonk alvast Engels.

'Hello?' zei de mevrouw onzeker.

'On-ze au-to is ka-pot,' zei Andreas luid en duidelijk. Hij wees naar de weg. 'Daar.'

De mevrouw fronste haar wenkbrauwen en zei iets waarvan hij alleen begreep dat ze hem niet begreep.

'Auto,' zei hij weer. 'Kapot. Wil niet starten.'

Ze schudde haar hoofd.

'Auto!' zweette Andreas. Had hij nou toch Emma maar meegenomen. Opeens wist hij het. 'Car!' herhaalde hij. 'Is kapot. Stuk.'

Ze stortte een aantal volzinnen over zijn hoofd uit waarin het woord 'car' veelvuldig voorkwam en eindigde op vragende toon. Andreas haalde zijn schouders op. Dit leidde tot niets.

'Laat maar,' zei hij. 'Dank u wel.'

Hij keek naar de donkere man met de krant, die hun conversatie aandachtig leek te volgen. Wie weet was het een Antilliaan, en volgens Ti sprak elke Antilliaan wel een beetje Nederlands. Hoopvol ploegde hij opnieuw door het zand.

'Bon día,' zei hij beleefd. 'Ik bedoel, bon tardi.' Hij lachte zonnig.

'Bon tardi.' De man duwde zijn zonnebril wat hoger op zijn neus en streek een paar keer snel over zijn haar. Hij had een donkere lange broek aan en een wit overhemd. Een jasje lag naast hem. Straks smelt-ie nog, dacht Andreas. Wie ging er nou volledig gekleed op een strand zitten?

'Eh...' Even wist hij niet hoe te beginnen. 'Spreekt u Nederlands?' De man schudde zijn hoofd en zei iets.

Oh shit, dacht Andreas. Hij probeerde het nog eens, langzaam sprekend.

'Wij hebben pech met onze auto.' Hij wees naar de weg. 'Auto.' De man knikte. 'Outo?'

'Hij is stuk,' zei Andreas. Die man snapte er natuurlijk óók niks van. 'Kapot,' voegde hij er moedeloos aan toe.

'Sí, outo,' zei de man weer.

Andreas beet op zijn lip. Je zou Em horen als hij zonder hulp terugkwam. En Ti had geen snars verstand van auto's, dus met een beetje pech stonden ze daar om vijf uur nog. Hij likte langs zijn droge lippen. Toen begon hij te glimlachen. Dat hij daar niet eerder op gekomen was! Hij hurkte en begon met zijn wijsvinger in het zand te tekenen.

Wat er verscheen leek meer op een doos met wielen, maar de man knikte begrijpend.

'Outo.'

Andreas wees ernaar, daarna op zichzelf en toen naar de weg. Hij tekende een tweede auto, en verbond ze met een ferme streep. Hij maakte een gebaar van trekken, en de man lachte met een flits van goud in zijn mond.

'Sí, sí!' Hij legde zijn krant weg, pakte zijn jasje en stond op. Hij wees naar het groepje auto's en zei iets.

Andreas spreidde zijn handen en keek vragend, en de man haalde een autosleutel uit zijn zak en hield die omhoog.

Andreas knikte opgelucht. Als het nou ook nog die landrover was...

Maar de man liep naar een rode personenwagen en maakte het rechterportier open. Er schoot Andreas iets te binnen.

'Hebt u een sleepkabel?' Hij durfde er wat onder te verwedden dat Ti die niet had. Hij bukte zich, wees naar de streep in het zand en deed opnieuw alsof hij trok. De man lachte en knikte en wees naar de kofferruimte. Hij maakte een gebaar van instappen.

Andreas keek naar het uitnodigend geopende portier, en ergens diep in zijn geest roerde zich iets, een vaag onbehagen, een verre herinnering aan een waarschuwende stem.

Maar ze wachten op me, dacht hij verward. Hij keek nog eens naar de man, die stil stond te wachten, keek toen in de auto, die een vertrouwd rommelige aanblik bood. De vloer was zanderig, net als Ti's auto, en lag bezaaid met colablikjes en lege sigarettenpakjes. Andreas stapte in, de fles water op zijn schoot. Naast hem sloeg het portier dicht. De man liep snel om de auto heen, de motor werd gestart en de auto keerde. Andreas wees opnieuw naar links, de richting van waaruit hij was gekomen.

De man reageerde er niet op. Hij gaf gas en draaide scherp rechtsaf, en dat was het moment waarop Andreas begreep dat hij een fout had gemaakt.

133

17

'Wat duurt het lang,' zei Ti. Ze keek weer op haar horloge. 'Hij is al een halfuur weg.'

'Misschien was die kilometer twee kilometer.' Emma geeuwde en hees zich wat rechter in haar stoel.

Ti schudde beslist haar hoofd. 'Nee.'

'Stom,' zei Emma.

'Wat is stom?'

'Misschien zijn er alleen Amerikanen. En Dreas spreekt nog geen woord Engels.'

'O God.' Ti sloeg haar hand voor haar mond. 'Je hebt gelijk. Er zijn altijd wel een paar duikers, maar meestal zijn dat Amerikanen. Dat arme kind, staat hij daar met zijn mond vol tanden.'

'Dreas staat nooit met zijn mond vol tanden,' zei Emma. 'Maak je maar niet druk. Hij is gewend zich alleen te moeten redden, hij verzint wel iets.' Ze grabbelde in een tas en trok de schil van een banaan. 'Jij ook?'

'Nee, dank je,' zei Titia afwezig. 'Ik vind dit niet prettig, Emma. Als daar niemand is die hem begrijpt… Hij zal toch niet verder lopen, in de hoop dat hij andere mensen tegenkomt?'

Emma kauwde op haar banaan. 'Welnee, het is veel te heet. Dreas kan er goed tegen, maar ik denk dat hij dan toch gewoon terug-komt.' Ze keek ook op haar horloge.

'Waar blijft hij dan?'

Emma haalde haar schouders op. 'Misschien moet een duiker zich eerst uit zijn pak hijsen.'

Ti draaide de raampjes dicht en sprong uit de auto. 'We gaan hem achterna.'

'En als er hier een auto langs wil?'

'Dan hebben ze pech gehad. Of eigenlijk des te beter. Kom.'

Met lichte tegenzin klom Emma naar buiten. Ti sloot de auto af.

Emma propte de rest van de banaan naar binnen en hield de schil omhoog.

'Wat doe ik hiermee?'

'Gooi maar langs de kant van de weg,' zei Ti onverschillig, en Emma begreep dat ze zich echt ongerust maakte.

Bij Slagbaai zat een Amerikaanse dame op een klapstoeltje. Twee kinderen speelden in het water.

'Excuse me, have you seen a little boy in a white shirt and a red bermuda?'

De dame knikte. 'Yes, I did.'

'Where did he go?' vroeg Ti. Haar gezicht stond gespannen.

De dame wees naar rechts. 'He drove off with the gentleman in the red car.'

'Die kant op?' zei Ti verbijsterd. Ze oogstte een niet-begrijpende blik. 'That way?'

'Yes.'

Emma's nekharen gingen overeind staan. Ze voelde hoe Ti haar arm greep.

'Het hoeft…' Ti haalde diep adem. 'Het hoeft niets te betekenen.'

'Nee,' zei Emma.

'Misschien zijn ze gewoon naar de ingang gereden om hulp te halen.'

'Ja.' Emma's lippen waren stijf.

De mevrouw keek bezorgd van de een naar de ander. 'What's wrong?'

Een paar minuten later zaten ze in de landrover, Ti voorin, Emma achterin samen met de kinderen en het klapstoeltje dat inderhaast naar binnen was gegooid.

De landrover reed sneller dan Ti's autootje, maar toch hooguit dertig kilometer per uur. Ze bonkten van links naar rechts over de weg en het klapstoeltje sloeg pijnlijk tegen Emma's knie.

De kinderen vonden het leuk. Ze lachten en gilden en lieten zich expres op de vloer vallen.

'Rustig jullie!' riep hun moeder.

De kinderen negeerden haar volledig, en ze wendde zich naar Ti en begon het nut van vierwielaandrijving uit te leggen. Ti knikte vaag en draaide zich toen plompverloren om naar Emma.

'We hadden moeten vragen of ze ons wilde slepen.'

'Dit gaat sneller.' Emma was misselijk. Dreas, dacht ze, ik had je nooit alleen moeten laten gaan. Ze had tegen Ti gezegd dat hij gewend was zich alleen te moeten redden. Dat was waar. Hij smeerde 's ochtends zijn eigen boterhammen, hij ging alleen naar school en kwam alleen thuis, hij had zijn eigen sleutel. En toch was hij pas negen.

Ze hoorde weer zijn stem, kleintjes en een beetje verloren. 'We zijn nu heel ver van huis, hè Em?' En wat had zij gezegd? Hád ze iets gezegd? Waarschijnlijk niet. Meestal negeerde ze zijn pogingen om een beroep op haar te doen of maakte ze zich er zo vlug mogelijk van af.

Ze keek uit het raampje naar de eindeloze rijen cactussen die langsschoven, en toen naar Ti, die haar handen tot vuisten had gebald in haar schoot. Opeens haatte ze het dorre, onverschillige landschap, snakte naar een koude wind die in je wangen beet en je hoofd helder maakte.

Ze haalden een auto in, en de dame toeterde. De auto ging gehoorzaam opzij. Er zat een ouder echtpaar in.

'Stoppen?' vroeg Emma.

Ti knikte. Ze was de landrover al uit nog voor hij stilstond. Ze sprak een ogenblik met het echtpaar en kwam toen terug.

'Ze hebben gepicknickt bij Saliña Slagbaai en niks gezien.'

'Hoe ver is het naar de uitgang?'

Ti rekende. 'Vanaf hier nog zo'n tien kilometer.'

'Heeft ze geen telefoon?' bedacht Emma. 'Een mobieltje, bedoel ik.'

Ti vroeg het. De dame schudde haar hoofd.

'Ik zou trouwens het nummer van het park ook niet geweten hebben,' zei Ti. Ze haalde een papieren zakdoekje uit haar zak en snoot heftig haar neus. De dame raakte haar arm aan.

'U moet zich niet zo ongerust maken. U weet hoe kleine jongens zijn.'

Jij hebt makkelijk praten, dacht Emma. Die twee ettertjes van jou zitten veilig achterin de boel af te breken. Het jongetje schopte tegen haar schenen.

'Zit stil en hou je benen bij je,' snauwde ze, en verbluft ging hij keurig rechtop zitten en hees zijn zusje van de vloer.

Emma plantte het klapstoeltje op zijn schoot. 'Hou vast.'

'Ik ook, ik ook!' riep het kleine meisje, en samen omklemden ze het stoeltje alsof hun leven ervan afhing.

Zo doe je dat, dacht Emma grimmig.

Op de voorbank scheurde Ti het zakdoekje in steeds kleinere snippers.

Al bij het slachthuis kwam Andreas weer bij zijn positieven. Hij graaide naar de portierkruk en rukte eraan. Kinderslot.

De man keek opzij. Hij zei iets wat Andreas niet verstond, maar tot zijn verbazing klonk het niet onvriendelijk. En waarom had hij iets bekends? Hij had deze vent eerder gezien, maar waar?

Hij schoof zo ver mogelijk van de man vandaan en omklemde met beide handen zijn plastic fles met water. De fles was nog voor een derde vol; zou hij die vent er een klap mee durven geven? Maar dan kregen ze misschien een ongeluk, en het portier zou tóch niet opengaan.

Hij ving een glimp op van water en van een grote vogel die op één poot stond. Een roodhalsreiger. Hoe kon hij daaraan denken? En waarom had hij niet nagedacht voor hij in de auto stapte? Dit moest de man zijn voor wie Roy de beer had gestolen, en, bedacht hij in een vlaag van helderheid, de man zou hem niks doen vóór hij de echte stenen had. Of wel? Hij wist dat het zinloos was, maar toch vroeg hij het.

'Waarom doet u dit?'

Het kwam er niet zo heldhaftig uit als hij gehoopt had, en op de man maakte het totaal geen indruk.

Hij schonk Andreas een vluchtige blik, reikte naar het handschoenenkastje en haalde er een pakje sigaretten uit. Hij stak een sigaret tussen zijn lippen, drukte de aansteker in en wachtte tot die terugsprong.

Een kilte kroop langs Andreas' benen omhoog, en hij begreep dat de auto airco had. Daarom reden de meeste auto's hier met de ramen dicht. Hij zou kunnen proberen een raampje open te draaien, maar hij besefte dat dat een dwaas idee was. Het zou veel te lang duren, en voor hij zich uit het raampje had gewrongen zou die vent hem al hebben vastgegrepen. Hij probeerde zich te herinneren wat Ti had verteld en wat hij op de plattegrond van het park had gezien. De ingang was ook de uitgang. En ze hadden het grootste deel al gehad. Zou die man hem mee willen nemen het park uit? Hij dacht aan de gespierde reus die de kaartjes verkocht en nam zich voor zo hard mogelijk te gaan schreeuwen.

Hij schrok op toen de auto plotseling van de weg afboog en een zijweg insloeg. Ze hobbelden een eindje voort, en opnieuw sloegen ze af. Linksaf en weer linksaf, hoe kon dat nu? Er was maar één weg, had Ti gezegd. Het pad werd smaller en smaller, en ten slotte hield het op, maar de man reed door, kriskras een weg zoekend tussen cactussen en struiken die langs de portieren schuurden. De auto beklom een hellinkje en gleed weer naar beneden, gevaarlijk scheef hangend. Andreas probeerde de richting te bepalen, maar raakte direct de draad kwijt.

Ten slotte stonden de cactussen zo dicht opeen dat ze niet verder konden. Andreas kneep zo hard in zijn fles dat er deukjes in plopten. De man liet de motor draaien. Hij stapte uit, liep om de auto heen en maakte het portier aan Andreas' kant open.

Andreas was bliksemsnel, maar niet snel genoeg. Een eeltige hand greep hem hard in zijn nek en smeet hem op de grond.

Zijn fles rolde weg, en hij begon te schreeuwen, hoog en scherp, klanken zonder betekenis.

Maar het was niet nodig. Iets wits fladderde voor hem op de grond, en het volgende moment sloeg het portier dicht en trok de auto op.

Vol ongeloof staarde Andreas hem na.

18

Even ongelovig staarde Emma naar Roy, die naast de reus met het vechtpetje achter de balie stond.

'Wat doe jij hier?'

Roy ontweek haar blik. 'Hij is een vriend van mij. Ik... help hem vandaag.'

Ti sloeg geen acht op hem. In een stortvloed van Papiaments legde ze de situatie uit. De reus knikte en schudde toen zijn hoofd. Ti zei iets op vragende toon, en opnieuw schudde hij zijn hoofd.

'Waarom spreek je geen Nederlands?' vroeg Emma geïrriteerd.

Ti draaide zich om.

'Hij zegt dat er een rode auto het park heeft verlaten, maar dat Dreas daar niet in zat.'

'Hoe kan hij dat weten?' zei Emma fel. 'Hij kan wel op de vloer hebben gelegen, of in de kofferbak.'

De reus keek even onzeker, maar schudde toch zijn hoofd. Zijn ogen gleden een moment naar Roy.

De Amerikaanse dame stond er zwijgend bij. Haar kinderen, stilletjes nu, drongen dicht tegen haar aan.

'Gaat hij nog iets *doen*?' Emma's stem sloeg over. 'Of blijven we hier wachten?'

De reus wendde zich naar Roy. 'Ik bel de politie, jij wacht hier op hen.' Zijn diepe stem was verrassend zacht, zijn Nederlands vlekkeloos. 'Ik ga met de jeep deze mensen terugbrengen naar hun auto. Onderweg kijken we uit naar het jongetje.'

De brief was slordig geschreven, met een lekkende balpen. Andreas las hem een tweede keer, omdat het de eerste keer niet goed tot hem doordrong wat er stond.

Andreas,
Ik moet deze brief schrijven van de man die de beer wil. Die
beer moest ik stelen voor hem. In de beer zat niet wat hij wilde.
Geef het hem, als jij het hebt. GA NIET NAAR DE POLITIE!
DAN PAKT HIJ GINA!! Doe wat hij zegt. Hij is peligroso.
Hartstikken!!! Gevaarlijk!!! Hij wil dat jij het legt op de plaats
waar ik de beer heb gevonden. Vanavond.
Roy

Andreas staarde naar het woord peligroso, dat was doorgestreept.
Roy had het Nederlandse woord 'gevaarlijk' niet meteen geweten.
Maar hij had wel onthouden wat 'hartstikke' betekende.
Met trillende handen draaide Andreas de dop van zijn fles en dronk wat van het water, dat nu niet meer lauw was, maar handwarm.
Hij schroefde de dop weer stevig vast en stopte de brief in de zak van zijn bermuda. Hij keek om zich heen. Hij moest terug naar de weg, maar hoe kwam hij daar? Zijn blik viel op een cactus waarvan een arm was losgescheurd. Uit de wond droop wit sap, en opgelucht bedacht hij dat hij alleen maar het spoor van de auto terug hoefde te volgen.

Op de keiharde grond hadden de banden nauwelijks sporen achtergelaten, en niet overal was de begroeiing zo dicht dat de auto erlangs was geschampt.
In het begin zocht hij in het wilde weg tot hij het spoor terugvond, maar na een paar honderd meter begreep hij dat het handiger was om in cirkels rond te lopen.

141

De eerste keer verloor hij prompt het beginpunt van zijn cirkel uit het oog, daarom trok hij zijn bermuda uit en hing die als een rode vlag in de dichtstbijzijnde cactus. Daarna leerde hij uit te kijken waar hij zijn voeten neerzette, want de stekels van de jonge cactusjes waren vlijmscherp en krasten bloederige strepen op zijn enkels.

Het leek lang te duren voor hij het pad vond dat leidde naar de weg die van de eigenlijke weg afboog. Voor de zoveelste keer holde hij terug naar zijn bermuda en trok hem weer aan.

De bandjes van zijn slippers schuurden over zijn wreef. Hij maakte ze schoon en zag dat er rode striemen in de huid stonden. Hij goot er wat water op, maar daar werd het alleen maar erger van.

Aan het begin van de zijweg ging hij op een steen zitten en trakteerde zichzelf op een zuinig slokje water. De fles was zo goed als leeg, en hij had geen idee hoe ver hij nog zou moeten lopen. De hitte van de steen gloeide dwars door de stof van zijn bermuda, en nu hij zat, voelde Andreas pas hoe moe hij was. Zijn lippen begonnen te trillen, maar hij weigerde te huilen. Met knipperende ogen tuurde hij naar een hagedisje dat moeiteloos tegen een cactus opklom.

Ti en Emma zouden nu toch wel naar hem op zoek zijn? Stel je voor dat ze naar Slagbaai waren gelopen en daar op hem bleven wachten. Hoe ver was dat wel niet? En hoe laat zou het eigenlijk zijn? Zijn horloge lag thuis bij Ti. Hij keek naar de zon die nu schuin boven hem stond. Tom Sawyer zou het wel geweten hebben.

Terwijl hij zijn slippers opnieuw schoonmaakte, pijnigde hij zijn hersens om erachter te komen waar hij de man eerder had gezien, en opeens wist hij het.

Op de luchthaven. Hij had die man met die snor afgehaald die aldoor pepermuntjes at. Andreas herinnerde zich hoe de snor in het vliegtuig een grapje had gemaakt en had gedaan alsof hij de beer wilde aanpakken. Ze moesten Ti's autootje vanaf de luchthaven zijn gevolgd, en… Nee! Dat hoefde niet eens! Snorman had immers het adreslabel op hun koffer gelezen?

Roekeloos nam hij nog een slokje water. Nu klopte alles! En zonnebril had hem bang willen maken door hem een eind mee te nemen. Dat was hem goed gelukt; Andreas had spijt als haren op zijn hoofd dat hij zo eigenwijs was geweest. Had hij die rotbeer maar gewoon op Schiphol laten liggen. Had hij die belachelijke armband maar nooit gekocht. En wat moest hij Ti en Emma vertellen?

Hij staarde naar de striemen op zijn voeten, die in het midden veranderd waren in blaren. Zonnebril had hem natuurlijk niet die brief kunnen geven waar die Amerikaanse dame bij was. Maar hoe had hij geweten dat ze vandaag in het park zouden zijn?

Roy.

Roy had immers de brief geschreven. Want zonnebril kende geen Nederlands.

Even bleef hij stil voor zich uit kijken, met een voorzichtige vingertop duwend op een blaarkussentje. De blaar sprong open, en warm vocht liep over zijn wreef.

Roy had hem verraden. Omdat hij niet anders kon. Omdat hij bang was. En hoe bang was hij zelf niet geweest?

Hij stak de slippers in zijn achterzakken en besloot het op blote voeten te proberen. Maar de grond was heet en lag bezaaid met scherpe stenen, en met gebogen hoofd schuifelde hij voort, de fles in zijn hand geklemd, terwijl boven hem de vogels spottend krijsten.

Bij de hoofdweg sloeg hij rechtsaf, en begon toen te twijfelen. Ze wáren toch twee keer linksaf gegaan? Dan liep hij nu terug naar Slagbaai. Was het niet beter om verder te lopen? Als hij maar op de weg bleef, moest hij uiteindelijk bij de uitgang komen. Maar dat was misschien nog wel tien kilometer. Hij keek naar zijn voeten. Dat haalde hij nooit.

Aarzelend liep hij verder, voortdurend omkijkend of hem niet een auto achterop kwam. Hij probeerde zichzelf ervan te overtuigen dat de man niet meer terug zou komen. Die had zijn brief afgegeven en was het park natuurlijk allang uit. Toch bleef hij omkijken.

De zon stak met duizenden fijne naaldjes in zijn armen en benen toen rechts van hem plotseling water glinsterde, en hij herinnerde zich dat hij dat ook gezien had toen hij bij de man in de auto zat. Het kon nu niet ver meer zijn. Waar bleven ze nou?

En toen huilde hij toch.

19

'Daar,' zei Emma.

Ze reden achter de jeep, die hen maar een tiental meters had hoeven slepen voor de motor van Ti's autootje aansloeg.

Ti zei niets. Ze knikte alleen.

De man van de balie, die had gezegd dat hij Willem heette, draaide zich om en grijnsde breed.

Het kleine figuurtje liep blootsvoets midden op de weg, het hoofd gebogen, de plastic fles in de hand.

'God, Em.' Ti keek naar Emma, haar ogen donker in haar witte gezicht.

'Je denkt toch niet dat die vent hem…' Emma wreef hard over haar mond.

Ti legde een hand op haar knie en kneep.

'Ik vermóórd hem,' zei Emma wild.

Andreas keek op en begon te hollen.

's Avonds, toen ze gegeten hadden en Andreas' blaren waren doorgeprikt en bepleisterd, zei Titia opeens: 'Morgen komen Jeanne en Paul terug. Ik weet niet wat ik ze had moeten vertellen, als…'

Ze stond op, ging weer zitten, streek haar rok glad. Ze had Andreas onderzocht alsof hij van porselein was, ze had hem onder de douche gezet, zijn voeten gebet met een schone handdoek, hem ingesmeerd met after sun, en nog kon ze geen rust vinden.

'Je hoeft ze niks te vertellen,' zei Andreas.

Hij zat met kleine oogjes in zijn stoel en geeuwde onophoudelijk.

Hij wilde naar bed, maar dat kon niet. Niet voor Ti en Emma ook gingen. Zo lang zou hij niet wakker kunnen blijven, en hij móest die stenen buiten leggen.

Ti keek geschokt. 'Ik kan dit niet verzwijgen.'

'Hij bedoelt dat je het niet erger hoeft te maken dan het is,' zei Emma.

'Maar…'

'Zeg maar dat ik verdwaald was,' zei Andreas. 'In het park. Dat kan toch? Het is een groot park.'

Ti schudde haar hoofd. 'Ik denk er niet over.'

'Het maakt ook niet uit,' zei Emma. 'Het is voorbij, en het is goed afgelopen.'

'Het ís toch goed afgelopen?' vroeg Ti. Het was de vierde keer dat ze het vroeg.

Andreas knikte ongeduldig. 'Het was gewoon een gek, een rare vent, dat heb ik nou al honderd keer verteld. Hij reed zomaar wat rond, en hij zat maar te mompelen, en toen gooide hij me opeens uit de auto.' Hij geeuwde.

'Jij moet naar bed,' zei Emma.

'Als je nu zijn nummerbord wist,' piekerde Ti.

Andreas sperde met moeite zijn ogen open. 'Hoe kon ik daar nou op letten?'

'Ze krijgen hem wel,' zei Emma. 'Je zegt zelf altijd dat dit een klein eiland is, Ti. Waar moet-ie naartoe?'

Ti ging rechtop zitten. 'Die politieman, die dacht dat het misschien iets met die inbraak te maken had… Dat wil maar niet uit mijn hoofd.'

Andreas mompelde iets.

'Wat zeg je?'

'Tuurlijk niet. Gewoon toevallig.'

'Ik woon hier zes jaar,' zei Ti. 'Nooit gebeurt er iets, en nu opeens in een week tijd, ik…'

'Dat waren jongens,' zei Andreas. 'Dat zei je zelf, dat je dat dacht.'
Hij geeuwde.

'Jij moet naar bed,' zei Ti.

'Gaan jullie dan ook?'

Ti keek geroerd. 'Wil je dat graag?'

Hij knikte.

Emma stond al. 'Kom, ik stop je lekker in.'

Toen ze de deur van Ti's slaapkamer dicht hoorden gaan, draaide Emma zich naar Andreas, die rechtop in bed zat. Ze priemde haar haarborstel in zijn richting.

'Vertel op.'

'Vertellen? Wat vertellen?'

'Hou op met die flauwekul,' zei Emma woedend. 'Denk je dat ik achterlijk ben? Dat Ti alles slikt wat jij met je onschuldige smoeltje opdist, moet zij weten. Voor de draad ermee.'

'Ja maar…'

Ze sloeg haar armen dreigend over elkaar en hij capituleerde, te moe om halsstarrig te zijn.

'Alleen als je niks aan Ti vertelt.'

Emma gaf haar haaienglimlach ten beste. 'Dat bepaal ík wel.'

Hij haalde diep adem. 'Die beer…'

'Voor je begint,' zei Emma. 'Ik wil ook weten wat Roy ermee te maken heeft.'

'Roy? Helemaal niks,' zei Andreas haastig.

'Dreas!'

'Ssst.' Hij legde een vinger op zijn lippen. 'Hoe laat is het?'

'Hoe láát?' Ze ontplofte bijna. 'Wat kan het mij schelen hoe…'

'Ja maar, het heeft ermee te maken.'

Ze wierp een blik op haar horloge. 'Kwart over negen.'

'Misschien staat-ie er al,' zei Andreas zenuwachtig.

'Wie?'

'Die man.'

Emma zakte op haar bed neer. 'Wou je beweren dat die terugkomt?'

Hij knikte.

Ze stond weer op. 'Ik ga…'

'Je hebt het beloofd!'

'Ik heb niks beloofd.' Maar ze ging weer zitten.

Andreas haalde nog maar eens diep adem. 'Die beer, je weet wel, die ik van het vliegveld heb meegenomen…'

'Wat is daarmee?'

'Stil nou,' zei hij geërgerd.

Emma kneep haar lippen op elkaar.

'In die beer zaten stenen,' zei hij vlug. 'Edelstenen, of hoe heten die dingen. Groen. Een heleboel.'

'Hoe kon jij dat nou weten?'

'Ik voelde ze. Toen de beer zo nat was geregend, weet je wel? En toen heb ik hem opengepeuterd. Er zaten van die rare bobbels in en ik wilde weten wat dat was.'

'En toen?'

'Ik, ik…' Dit was moeilijk te verkopen. 'Ik heb ze verstopt. Ik wou ze niet écht houden, alleen maar eventjes. Omdat het zo spannend was.' Hij keek vluchtig naar Tom Sawyer, die omgekeerd naast zijn bed lag. 'En toen dacht ik, als ik ze nou omruil voor andere. Want ik had een armband gezien met net zulke steentjes. Dus die heb ik gekocht en de steentjes in de beer gestopt.'

'O Dreas,' zei Emma.

'Ja, nou,' zei hij ongelukkig.

'En weet die man dat?'

'Ja. Nee. Misschien.' Hij zag haar gezicht. 'Nu wel, dus.'

'Heeft die man jouw beer?'

'Ja.'

'Hoe komt hij daar dan aan? Heb jij hem die gegeven?'

Hij schudde zijn hoofd. 'Ik niet. Roy.'

'Maar hoe kon Roy…' begon Emma en zweeg.

Andreas kon haar hersens bijna zien werken, en ze was snel. Sneller dan hij, bedacht hij droevig.

'Dus daarom kwam Roy met ons aanpappen op het strand.' Er knapte een pin uit de haarborstel, en daarna nog een.

'Eerst wel, maar ik denk later niet meer,' zei Andreas zachtjes.

Emma lachte. Ze gooide de borstel op haar bed.

'Ga door.'

'Roy moest de beer stelen van die man. Dat moest hij echt, Em.' Hij haalde het verkreukelde briefje uit de zak van zijn bermuda en gaf het haar. Ze las het vluchtig.

'Hartstikke zielig,' mompelde ze.

'Toe nou, Em,' smeekte hij.

'Ga door,' zei ze onverzettelijk.

'Roy moest te weten zien te komen of wij de beer echt hadden, en daarna moest hij hem stelen en aan die man geven.'

'En dus ging hij gezellig iets bij ons drinken.'

'Wat kon hij anders?' zei Andreas wanhopig. 'Het stáát er toch? Anders zou die man Gina iets doen. En het is echt een engerd, Em.' Zijn lip beefde, en Emma bond in.

'Dus Roy zag die beer bij ons.'

'Ja. En hij is 's avonds of 's nachts teruggekomen, tenminste, dat moet wel, en hij heeft de beer aan de man gegeven. En hij dacht natuurlijk dat toen alles in orde was.'

'En toen kwam die vent erachter dat er nepstenen inzaten.'

'Ja. Dus ik denk, ik weet het niet precies, maar ik denk dat hij Roy…' Hij zweeg. 'Zijn hand!' zei hij ontzet. 'Roy's hand!'

'Denk je dat die man dat gedaan heeft?'

Hij knikte heftig. 'Hij kneep mij ook. Hard. En hij heeft me op de grond gegooid.'

Emma begon de borstel opnieuw te mishandelen. Andreas wachtte. Ten slotte keek ze op.

'En nu?'

Andreas slikte. 'Nu ga ik de stenen straks buiten neerleggen. Op de bloempot. Als Ti slaapt.'

Emma legde de pinnetjes netjes op een rijtje op haar bed. 'Waarom bellen we niet gewoon de politie?'

'Dat kan toch niet! Dan doet hij… Het stáát er toch, Em! Ga niet naar de politie, staat er. Roy is bang!'

'Ach gut,' zei Emma.

'Doe nou niet zo lullig!' Hij huilde bijna. 'Zie je nou wel, ik had het je nooit moeten vertellen. Grote mensen verpesten het altijd.' En toen venijnig: 'En jij bent nog niet eens groot. Je doet alleen maar alsof. Omdat je erbij wilt horen. Daarom!'

Emma keek naar zijn ogen, die rode randjes hadden van vermoeidheid. Hij was bruin, maar die middag waren zijn onderarmen pijnlijk verbrand door het lange lopen in de zon.

'Oké.'

'Wat oké?'

'We doen het. Of liever, ik doe het. Waar zijn die stomme stenen?'

Zijn gezicht klaarde op. 'In mijn schoen.'

'In je *schoen*?'

Hij lachte een beetje. 'Ik dacht, daar kijken ze vast niet. Want ze zochten naar die beer. En die past niet in mijn schoen.'

'O shit,' zei Emma. 'Die inbraak. Die was ik helemaal vergeten.'

'Ik niet.' Andreas keek trots. 'En weet je hoe ik wist dat Roy…' Hij zweeg.

'Dat Roy wat?'

'Nee, laat maar.'

'Dat Roy wat?'

Hij zuchtte diep. 'Dat Roy er iets mee te maken had.'

'Door dat briefje toch.'

'Nee.' Andreas glom, ondanks alles. 'Omdat die pop van zijn zusje het strikje van mijn beer omhad. Gisteren, op het terras. Als verbandje. En toen snapte ik ook waarom Roy zo raar naar die beer keek en zijn glas omgooide. Toen hij hier was, weet je wel?'

'En Roy had door dat jij hem doorhad?'

Hij knikte.

'Net goed,' zei Emma.

Andreas besloot erover op te houden. Ze draaide wel bij. Dat deed ze altijd, al duurde het soms lang.

Ze keek op haar horloge. 'Zou Ti al slapen?'

'Hoe laat is het?'

'Bijna kwart voor tien.'

'Ze snurkt een beetje,' zei Andreas. Hij giechelde. 'Dat hoorde ik van de week toen ik een keer naar de wc moest.'

Emma stond op. 'Ik ga wel even luisteren.'

Andreas had net een pleister losgepeuterd toen ze alweer terugkwam. 'Het licht is uit. Volgens mij slaapt ze.'

'Laten we nog maar even wachten,' zei hij bezorgd. 'Voor alle zekerheid, bedoel ik.'

'Ik klim wel uit het raam,' bedacht Emma. 'Dan hoef ik niet te pielen met die voordeur.' Haar ogen glinsterden. 'Laat zien die stenen.'

Andreas klom uit bed en deed de kastdeur open. Voorzichtig trok hij het zeemleren zakje uit zijn schoen en maakte het open.

Opnieuw stroomde het groene watervalletje op zijn bed. Emma hield haar adem in.

'Mooi hè?' zei hij trots.

Ze nam de grootste steen op en hield hem tegen het licht, net zoals hij gedaan had. Groene vonkjes spatten door de kamer.

'Hoeveel zouden ze waard zijn?'

Ze haalde haar schouders op. 'Geen idee. Veel.'

'Ja hè? Heel veel, denk ik.' Andreas liet de stenen bedachtzaam door zijn handen glijden terwijl Emma de grote steen op haar vinger legde en er een ring bij dacht. Ze zuchtte diep.

'En hiervoor is die vent bereid al dat risico te lopen.'

'Mensen doen alles voor geld,' zei hij wijs.

Ze grinnikte. 'Je lijkt je vader wel.'

Hij begon de stenen weer in het zakje te stoppen. 'Je moet ze op die grote bloempot leggen. Je weet wel, met die plant met rooie bloemen, die naast de voordeur staat.'

'Wil je het niet liever zelf doen?' vroeg ze plagend, maar hij schudde ernstig zijn hoofd.

'Ik durf niet zo goed.'

Ze kneep in zijn been. 'Ik doe het wel.'

Hij gaf haar het zakje. Zijn hand verdween onder het laken.

'Niet aan je pleisters peuteren,' zei Emma automatisch.

'Doe ik ook niet!'

'En wat is dat dan?' Ze wees naar de pleister op de grond.

'Dat was per ongeluk.' Hij geeuwde.

'Ga vast slapen,' zei Emma en gehoorzaam ging hij liggen.

Ze deed het licht uit en trok de hor open.

'Tot zo.'

Hij hoorde haar pas toen ze al een been over de vensterbank had en weer naar binnen klom.

'Slaap je al?'

'Nee.'

'Ik heb ze op die pot gelegd.' Hij voelde haar warme adem op zijn gezicht, haar lippen op zijn wang. 'Ik heb het raam dichtgedaan, hoor, je hoeft niet bang te zijn.'

Hij sliep bijna toen ze opeens fluisterde: 'Hoeveel waren het er eigenlijk, Dreas?'

'Weet ik niet,' zei hij zacht. 'Ik heb ze niet geteld.'

Ze sliepen allang, heel Kralendijk sliep, toen een schim zich losmaakte uit het duister. Onhoorbaar bewoog hij zich over Ti's oprit en boog zich over de pot met de rode oleander. De hond van de buurman jankte zachtjes, de vreemde aanwezigheid voelend. De man stond een ogenblik roerloos. De hond piepte nog een keer en zweeg toen. De man draaide zich om. Even onhoorbaar verdween hij in de donkere straat.

Een tweede schim gleed uit de diepe schaduw van een bananenboom. Heel even viel het licht van de lantaren op een legergroen vechtpetje. De tweede schim begon de eerste te volgen.

20

Andreas sliep nog toen Emma terugkwam in de slaapkamer. Ze kon het niet laten hem wakker te schudden.

'Ze zijn weg.'

Hij deed met moeite zijn ogen open. 'Wie?' Hij vloog overeind. 'Zijn ze weg? De stenen? Zijn ze weg?'

'Dat zeg ik je net.' Ze trok een gordijn open, en zonlicht stroomde de kamer in.

'Dus, dus…'

'Dus nou zijn we overal af,' zei Emma nuchter. 'Hij tevreden, Roy tevreden, en wij gaan morgen naar huis.'

'Ja.' Hij klonk niet alsof hij blij was.

'Wat is er?'

'Niks.' Hij ging weer liggen en rommelde onder het laken.

'Blijf van je pleisters af.'

'Ja-ha.'

'Wil je nog slapen?'

'Eventjes.'

Ze deed het gordijn weer dicht, graaide wat kleren bij elkaar en verdween naar de douche.

Andreas gleed uit bed, liep naar de kast en zocht tot hij zijn spijkerbroek vond.

'Hoorde ik jou vanochtend al bij de voordeur, Em?' vroeg Titia. Emma smeerde aandachtig een boterham. 'Ik dacht dat de postbode er was.'

'Die komt nooit zo vroeg.'

'Nee, maar daar dacht ik niet aan.'

Ti roerde haar thee, bleef roeren.

Emma wees. 'Moet de bodem eruit?'

Ti lachte. 'Ik denk na. Ik ga zo even naar de bank om te zeggen dat ik vandaag niet kom.'

'Van ons mag je best, hoor,' zei Emma. 'Niet, Dreas?'

Andreas mompelde iets wat zowel 'ja' als 'nee' kon zijn.

'Je denkt toch niet dat ik jullie nog een seconde uit het oog verlies?' Titia haalde haar hand door haar krullen. 'Als dat computergedoe er niet tussen was gekomen, had ik deze hele week vrij kunnen nemen.'

'Hou daar nou over op,' zei Emma. 'Daar kun jij toch niks aan doen? Zulke dingen gebeuren. Wij vinden het helemaal niet erg, hè Dreas?'

Andreas schudde zijn hoofd. 'Wij kunnen best gaan zwemmen. Of zo.'

Ti fronste haar wenkbrauwen. 'Of zo?'

'Nu kijk je net als mamma,' zei hij.

'En je zeurt net zo,' mompelde Emma.

'Zeg, hoor eens even…' begon Ti.

'Ik ben vijftien,' vertelde Emma haar.

'En ik tien,' vulde Andreas aan.

Ti zuchtte wanhopig. 'En dan te bedenken dat ik Jeanne altijd om haar kinderen heb benijd.'

'Heel onverstandig,' vond Emma.

'Kinderen zijn hinderen,' zei Andreas.

Ti schaterde. 'Ik vertel jullie nooit meer iets.'

Roy spijbelde weer. Daarom had hij een briefje geschreven waarin hij zichzelf ziek meldde. Het handschrift leek heel aardig op dat van zijn moeder. Hij had er dan ook de halve nacht op zitten oefenen.

Hij was op weg naar Javier. Die was altijd bereid iets voor een ander te doen, zelfs als die ander hem onredelijk had afgesnauwd. De keerzijde was dat hij zou willen weten waarom Roy spijbelde, maar daar viel wel iets op te verzinnen.

Javier stopte het briefje achteloos in zijn zak.
'Niet vergeten!' waarschuwde Roy.
'Nee. Wat ga je doen?'
'Ik ga met Willem mee.'
'Naar het park?'
Roy knikte. 'Willem heeft een beetje hulp nodig.' Om het geloofwaardiger te maken voegde hij eraan toe: 'Hij betaalt ervoor.'
'Ik wil ook wel mee.' Javiers ogen schitterden. Sinds hij rookte kwam hij voortdurend geld te kort.
'Dat kan toch niet,' zei Roy geduldig. 'Jij moet mij dekken.'
Javier keek alsof hij spijt had van zijn snelle belofte.
'Je krijgt een pakje sigaretten van mij.'
'Bon. See you, Roy!'

Willem stond al op hem te wachten bij het pad naar de weg. Zijn fiets lag achter in de jeep.
'Bon día!' Willem grijnsde van oor tot oor.
'Is het gelukt?'
'Natuurlijk.' Hij stapte uit en tilde met tedere zorg zijn fiets van de achterbank.
Roy pakte hem aan. De trapper stond weer recht en de krassen op het frame waren door een felgekleurde sticker aan het oog onttrokken.
Willem zag hem kijken.
'Ik kan de lak hier niet kopen.'
'Zo is hij ook mooi,' zei Roy.
'Zorg dat hij zo blijft,' waarschuwde Willem. 'Heb je geld?'

Roy knikte.

'Genoeg?' Willems hand ging al naar zijn achterzak.

Roy hief zijn plastic tasje op. 'Ik heb eten bij me. Ga nou, Willem, straks kom je te laat.'

'Wil je niet weten waar hij zit?' informeerde Willem.

'Waar?' vroeg Roy gespannen.

Willem keek triomfantelijk. Hij genoot hiervan. 'In het pension van de oude Conchita, en dat komt prachtig uit voor jou.'

Roy kon het zo snel niet volgen. 'Waarom?'

'Omdat naast het pension, tegen het erf aan, dat hokje nog staat. Je weet toch nog wel? Waar vroeger Conchita haar fruit verkocht. Het is bijna ingestort, maar jij kunt er prima zitten. Ik heb gezorgd dat de deur los is. Ik kom zodra ik kan.'

'Nog twee keer Boris voeren,' zei Andreas.

'Nog twee keer zwemmen,' zei Emma.

Ze stonden de ontbijtboel af te wassen, plus de pannen van de vorige avond, toen iedereen te moe was geweest om dat nog te doen. De telefoon ging, en Emma nam op. Ze luisterde even en zei toen: 'Dan doe je dat toch?'

Andreas keek vragend.

'Ti,' miemde Emma. 'Wat zeg je?'

Ti stak een heel verhaal af.

'Flauwekul,' zei Emma. 'We lopen heus niet in zeven sloten tegelijk. En ik moet nog souvenirs kopen. Ik hou hem wel…'

Ti viel haar in de rede.

'Nee-hee,' zei Emma ongeduldig. 'Ik zal hem aan de riem doen, nou goed?'

Andreas lachte.

'Jagoedbestprima,' zei Emma. 'Dan zijn wij ook weer thuis. En als we er niet zijn, moet je je niet ongerust maken.' Ze hing op, midden in Ti's protest.

'Ze moet een uurtje, hooguit twee. Vind jij het erg?'

'Niet als jij, als wij…'

'Tuurlijk blijven we bij elkaar, dat heb ik net beloofd. Dat zou ik tóch al gedaan hebben.'

'Misschien is ze wel blij dat we morgen ophoepelen.'

'Ik weet wel zeker van niet. Enne, Dreas?'

'Ja?'

Ze boende een pan alsof haar leven ervan afhing. 'Ik had je niet alleen moeten laten gaan.'

'Gisteren? Naar Slagbaai?'

'Ja.'

'Waarom?' Hij klonk oprecht verbaasd. Zo oprecht dat het zeer deed.

Ze beet op haar lip. 'Omdat ik vind dat ik beter op je… Ach nou ja, laat ook maar.' Ze goot de pan leeg en zette hem op het aanrecht. 'Met mijn nieuwe rooster ben ik drie middagen eerder uit school dan jij.'

'O,' zei hij afwachtend.

'Kun jij me dan een beetje wegwijs maken in dat nieuwe tekenprogramma op pappa's computer?'

'Jawel,' zei hij gretig. 'Wil je dat? Ik dacht dat je er niks aan vond.'

Ze bukte zich en deed een kastje open. 'Ik denk dat het toch wel handig is. Voor werkstukken en zo.'

Hij knikte heftig. 'Ik ga er ook iets mee doen voor mijn spreekbeurt. En we hoeven niet zo lang, hoor Em.'

'Voorlopig elke middag een uurtje?'

'Meteen volgende week al?' vroeg hij blij.

'Vanaf dinsdag,' beloofde ze.

Zwijgend wasten ze de borden.

'Als we die stenen nou gewoon achterover hadden gedrukt,' zei Emma toen.

Andreas liet bijna een bordje vallen. 'Hoezo?'

Ze liet de borstel boven zijn hoofd uitdruipen. 'Dan hadden we over een paar jaar hier een huisje kunnen kopen.' Ze lachte. 'Kijk niet zo verschrikt, ik maak maar een grapje.'

Hij wreef zijn haar droog met de theedoek. 'Ik vind het geen leuk grapje.'

'Wat zou die vent nou doen?' dacht Emma hardop.

'Ik hoop dat hij weg is,' zei Andreas hartstochtelijk. 'Ik hoop dat hij op een schip zit en overboord valt. En dat de haaien hem opvreten.'

'Er zitten hier geen haaien.'

'Welles. Kleine citroenhaaitjes, zegt Ti.'

Emma viste de theelepeltjes op. 'Was je erg bang, Dreas?'

Hij gaf niet meteen antwoord. 'Ik had alleen maar die fles,' zei hij toen.

'Wat had je daarmee willen doen?'

'Hem een klap geven. Water is zwaar. Pappa zegt dat een liter water een kilo weegt. Maar er zat bijna niks meer in.' Zorgvuldig droogde hij de lepeltjes af. 'En ik durfde niet.'

Hij hing de theedoek aan het haakje en ging op zijn tenen staan om de borden in de kast te kunnen zetten. Ti had nieuwe pleisters op zijn voeten geplakt en zijn armen en benen zo dik met crème ingesmeerd dat er een witte waas over lag. Emma sloeg haar arm om hem heen.

'Ik heb nog een heleboel geld. Zullen we dat allemaal uit gaan geven aan dingen die jij leuk vindt?'

Zijn gezicht klaarde op. 'Zullen we ijs eten op dat terras? Enne, iets voor Ti kopen? Maar eerst zwemmen.'

'Wil jij wel zwemmen, met die voeten?'

Hij keek minachtend. 'Ti overdrijft. En ik wil nog duiken, ik kan het nou bijna helemaal goed.' Hij straalde opeens. 'Volgende week met schoolzwemmen kan ik het aan Erik leren. Die kan er nog niks van. Gaan we dan naar de pier?'

'Best.'

Hij gluurde naar haar van onder zijn oogharen. 'Misschien komt Roy ook nog wel.'

Emma wreef het aanrecht. 'Vergeet het maar. Die durft zijn gezicht niet meer te vertonen.'

De man kwam pas tegen enen te voorschijn. Roy's hersens waren bijna gesmolten in de benauwde hitte van het smerige hokje. Het rook er naar geitenkeutels en er zaten zandvlooien. Het loket waarachter Conchita vroeger haar fruit verkocht was dichtgetimmerd, en door de kieren kwam maar weinig wind, in feite net genoeg om zijn ogen te laten tranen als hij erdoorheen loerde. Hij krabde net uitvoerig zijn kuit toen de verveloze deur van Conchita's pension openging en de man de straat uitslenterde, zonnebril op, sigaret in zijn mond.

Roy schoot met zo'n vaart omhoog dat hij zijn hoofd stootte aan het plafond.

Hij gaf de man een voorsprong van zo'n dertig meter voor hij het waagde de gammele deur open te duwen. Hij loerde naar Conchita's ramen. Ze stond erom bekend dat ze kon tieren als iets haar niet beviel, en een vreemde jongen op haar erf zou haar niet bevallen.

Maar er bewoog niets, en hij stak de straat over en begon de man te volgen.

Die ging doen wat Roy al verwachtte. Lunchen. Conchita serveerde een ontbijt en op verzoek een diner, maar aan lunches deed ze niet. De man liep door het dorp regelrecht naar het café op de hoek, ging op het terras zitten en wenkte de serveerster.

Roy zocht een plekje in de schaduw en haalde een banaan uit zijn tas.

De man bleef lang zitten. Hij at zijn lunch en leunde daarna ontspannen achterover, zijn derde biertje in zijn hand. Het was na halfdrie toen hij afrekende. Voor hij vertrok bleef hij staan bij het aanplakbiljet waarop de bokswedstrijd werd aangekondigd en las het aandachtig.

Roy volgde hem terug naar het pension. 's Ochtends had hij erop gerekend dat de man nog zou slapen, maar nu durfde hij niet opnieuw in het hokje te gaan zitten. In plaats daarvan koos hij een plekje aan de overkant van de straat, ver genoeg om niet op te vallen, maar wel zo dichtbij dat hij het huis in de gaten kon houden.

Hij ging op de rand van de stoep zitten, haalde een boek uit zijn tasje en deed of hij las.

Rond vijven lag de hele straat in de zon en was zijn shirt doornat van het zweet. Toen eindelijk Willems jeep naast hem stopte, kwam hij opgelucht overeind.

'Waar is mijn fiets?'

Roy wees. De fiets stond met twee kettingen aan een verkeerspaal geklonken.

'Heb je hem niet nodig gehad?'

'Nee. Hij ging alleen maar eten.'

'Waar is hij?'

'Binnen.' Roy geeuwde.

'En zijn auto?'

'Nergens te zien. Volgens mij heeft hij die niet meer.'

'Ga jij naar huis,' zei Willem. 'Ik spreek jou vanavond nog. Of anders morgenochtend.'

Ti nam hen mee uit eten, en plechtig overhandigden ze hun cadeau: een boek over de geschiedenis van de Antillen. Ze hadden het gevonden in een piepklein boekwinkeltje buiten het dorp, waar meer prullaria dan boeken werden verkocht. Het boek moest al een tijd op de plank hebben gestaan, want de rug was vergeeld, maar Ti was er zichtbaar blij mee.

'Als jullie weer weg zijn, ga ik het lezen,' beloofde ze. 'Dan heb ik er tijd voor.'

'Alsof wij lastig zijn,' zei Emma met een stalen gezicht.

'Kinderen zijn hinderen,' zei Ti. Ze knuffelde hen over tafel. 'Ik zal jullie missen. Ik wist niet dat het zo gezellig was als er iemand op je wacht als je thuiskomt.'

Na het eten liepen ze een eindje langs de kade. De wind fluisterde in de palmen, het water murmelde terug, uit een café woei een flard muziek. Emma wees naar de maan die als een oranje lampion boven zee hing.

'Dat is toch bespottelijk. Op een ansichtkaart zou je zeggen dat het kitsch was.'

'Het is vast niet dezelfde maan,' dacht Andreas.

Ti trok hem aan zijn haar. 'Hebben jullie het naar je zin gehad? Ondanks alles?'

Andreas porde Emma.

'Misschien wel dankzij alles,' zei Emma. 'Het begon net een beetje saai te worden, hè Dreas?'

'Volgende week weer naar school,' zei hij, en het klonk niet ontevreden.

Ti kuchte. 'De politie belde me op de bank. Ze denken dat ze de auto hebben gevonden.' Ze keek naar Andreas. 'Ik heb het niet eerder verteld om ons afscheidsetentje niet te bederven.'

'Had best gemogen, hoor,' zei hij grootmoedig.

'Alleen de auto?' vroeg Emma. 'Verder niks?'

'Verder niks. Hij was leeg, natuurlijk.'

'Vingerafdrukken,' zei Emma. 'Hij moet vol zitten met vingerafdrukken.'

'Die vent is allang weg.' Andreas klonk alsof hij vooral zichzelf wilde overtuigen.

Ti knikte ernstig. 'Ik denk dat je gelijk hebt.' Ze kneep in zijn nek.

'Ik vind het zo vreselijk jammer dat juist in het park…' Ze zocht naar woorden. 'Jullie hadden je er zo op verheugd, en dat uitgerekend daar…' Ze pakte een zakdoek en snoot haar neus.

Ze leek toch veel op mamma, dacht Emma. Als die wilde uitleggen wat ze voelde, begon ze ook altijd te huilen.

'O, maar je bent nog niet van ons af,' beloofde ze. 'We komen nog een keertje terug, toch, Dreas?'

Bij het café op de hoek was een opstootje. Er stond een politieauto midden op straat, en het terras en de stoep waren vol met opgewonden pratende mensen.

Emma rekte haar hals. 'Wat zou er gebeurd zijn?'

'Een vechtpartijtje,' zei Ti. 'Vanavond was die bokswedstrijd. Zien vechten doet vechten, blijkbaar.'

De politieauto reed weg en de mensen verspreidden zich.

'Kom,' zei Ti. 'We gaan naar huis. Andreas moet naar bed.'

'Ik ben hartstikke wakker,' protesteerde hij.

'We drinken nog wel wat op het terras,' zei ze inschikkelijk.

Ze lagen net in bed toen de telefoon ging. Even later ging de deur open. Ti stak haar hoofd om de hoek.

'Jeanne en Paul zijn thuis. Ik zou jullie wel geroepen hebben, maar de verbinding werd verbroken. Jullie moeten de groeten hebben.'

Andreas ging rechtop zitten.

'Wat zeiden ze? Hebben ze het leuk gehad?'

'Ze klonken enthousiast. Prachtig land, aardige mensen, zei je vader.'

'Meer niet?'

'En dat ze er wel eens op vakantie naartoe wilden. Met z'n vieren.'

'Zeiden ze dat?'

'Dat zeiden ze.'

De deur ging zachtjes dicht.

163

Andreas keek naar Emma. In het donker kon hij net zien hoe ze haar schouders ophaalde.

'Misschien zijn ze niet zo stom als we dachten. Maar maak je nou niet blij met een dooie mus, Dreas.'

'Nee.' Maar misschien had Ti gelijk. Misschien was een week wel lang genoeg. Hij ging weer liggen en legde zijn hand onder zijn wang.

21

Roy had geen rust toen Willem eenmaal weg was. Zijn moeder was al vroeg gaan werken, Gina speelde bij een buurmeisje.

Gewoonlijk was het prettig het huis voor zich alleen te hebben, maar vandaag niet. Op blote voeten en met alleen een bermuda aan drentelde hij rusteloos rond, hier iets oppakkend, daar iets verplaatsend, alsof hij ergens op wachtte.

Er was wel iets wat hij kon doen, maar daarvoor ontbrak hem de moed.

Andreas zou vriendelijk zijn, zoals hij al die dagen was geweest, maar Emma had hem geen blik meer waardig gekeurd. En ze had gelijk, dacht hij, per slot van rekening had hij haar broertje in gevaar gebracht. Wat zou hijzelf gedaan hebben als het Gina was geweest?

Toen hij het in huis niet meer uithield, liep hij het erf op en sleepte een stoel onder de bananenboom. De bladeren hingen slap neer. Er stond weinig wind en het was vochtig warm. Zou de regentijd eindelijk beginnen? Gedachteloos trok hij met zijn grote teen lijnen in het stof, tot hij besefte wat hij deed en met zijn hiel de onbeholpen tekening van een beer wegwreef.

Het had hem zelfs moeite gekost blijdschap tegen Willem te tonen. Willem, die in één klap alle problemen had opgelost, op een manier zoals alleen Willem dat kon.

De jeep was met gierende banden het erf op komen rijden, en Willem was er al uit nog voor de motor stilstond.

'Roy, man! Jij had erbij moeten zijn!'

Roy's hart had meteen in zijn keel gezeten.

'Vertel dan, Willem!'

Willem liet zich niet haasten. Hij legde zijn arm op een denkbeeldige bar.

'Daar stond hij, in de kroeg, met een duur drankje.' Hij nipte aan een denkbeeldig glas. 'En...'

'Welke kroeg?'

'Op de hoek, natuurlijk, daar zat het halve eiland gisteravond. Vanwege de bokswedstrijd, no? Daar stond hij, en wie stond er achter hem?' Willems gezicht glom van plezier.

'Een agent?'

'Geen *agent*! Waar zitten jouw hersens? Ik! Ik stond achter hem, en iedereen keek naar het boksen en hij natuurlijk ook, en ik wachtte, eh? Ik wachtte geduldig op het goede moment. Ik had geen haast.'

'En toen?' Roy's vingers begonnen te kloppen.

'En toen? Eerst niks. Ik wachtte en wachtte. En het werd drukker en drukker. Boy, wat was het druk. Iedereen duwde iedereen, precies zoals het moest. En ten slotte botste iemand tegen mij, ik bots tegen hem, en wat denk je? Twee minuten later ben ik mijn portemonnee kwijt.'

'Had iemand die gestolen?' vroeg Roy ademloos.

Willem wachtte even voor hij antwoordde. Aan zijn timing mankeerde niets. 'Hij!'

'Hij?'

'Alleen, alleen...' Willem redde het niet langer. Hij lachte zo hard dat de tranen over zijn wangen liepen. 'Alleen wist hij dat niet!'

'Wist hij het niet?' Roy voelde zich net een papegaai.

'Nee.' Willem veegde zijn ogen droog. 'Want ik had hem zelf in zijn zak gestopt! Maar ik bestel een drankje, en ik moet betalen, no? Drankjes moet je meteen betalen, zeker op zo'n avond. Dus ik grijp naar mijn portemonnee, maar die was weg. Foetsie!' Hij lachte nu geluidloos, met schokkende schouders.

'Dus ik begin te schreeuwen. Mijn geld, mijn geld! Meteen een kring om mij heen, ze vergaten zelfs het boksen! Wel jammer, ik heb twee ronden gemist. Maar in de zesde ging hij toch neer.'

'Toe nou, Willem.'

'Rustig, Roy, laat mij vertellen. Ik sta in een kring, iedereen kakelt door elkaar, waar is jouw geld dan, man, waar is jouw geld? Ik voel overal, in elke zak.' Hij klopte op zijn camouflagebroek die rondom bestikt was met zakken. 'Dus dat duurt, dat duurt. En hij – hij staat ook in die kring. En ik keer al mijn zakken om, en nergens mijn geld, natuurlijk. En toen…' Hij begon weer te lachen.

'Willem!'

'Ja, ja. En toen roep ik: het is gestolen! En ik wijs. Ik wijs naar hem. En ik zeg, híj is tegen mij gebotst, híj heeft mijn geld gestolen! En iedereen roept, oh, dat is een ouwe truc! En hij – hij is brutaal, hij zegt: "Mi n'tin kuenta ku bo!" En hij probeert weg te lopen! Die man is dom, Roy, heel dom. Hij probeert weg te lopen. Dus ik zeg, o, heb jij niks met mij te maken? En ik hou hem een beetje tegen…'

Roy begon ook te lachen. Willem die iemand 'een beetje tegenhield' – je kon net zo goed proberen door een betonnen muur heen te lopen.

'En toen?'

'Ik hou hem een beetje tegen, en ik zeg, laat mij jouw zakken maar eens zien.'

'O, Willem, wat slim!'

'Nee,' zei Willem, plotseling ernstig. 'Dat was niet slim. Want als hij het gedaan had, was het afgelopen, no? Dan had hij mijn portemonnee teruggegeven, en meer niet. Finito. Maar gelukkig zei hij nee. En ik zei, hopi bon, dan halen wij de politie erbij. Want jij hebt mijn geld, waarom loop jij anders weg?'

167

'En toen?'

'Raymon was er, weet je wel? Hij heeft de politie gebeld. Die kwamen heel vlug. Maar toen had hij het ook begrepen, en hij wilde gauw zijn zakken legen. Maar ik zei tegen de politie dat ik naar het bureau wilde, omdat er veel geld in mijn portemonnee zat. En zij vonden het prima. Dus zij namen hem mee, en ik erachteraan gefietst.'

'Maar je wist toch niet of hij ze wel…'

'Nee, natuurlijk niet! Dat was mijn angst, Roy! Maar hij zat bij Conchita, no? Zou jij dure steentjes bij Conchita achterlaten?'

Roy zei niets. Zijn moeder had Carlos' foto bij Conchita achtergelaten. En honderd gulden.

'Dus op het bureau…' Willem verkneukelde zich opnieuw. 'Op het bureau komt eerst mijn portemonnee te voorschijn. Dat was één. Maar toen zeg ik, misschien heeft hij ook nog wel geld van andere mensen gepakt! En hij riep nee, nee! Ik heb niets gepakt! Het is een truc! Maar de politie vond het wel een goed idee. Dus hij moest al zijn zakken leegmaken. En toen had hij een zakje met stenen bij zich. Mooie stenen, Roy, heb je ze gezien?'

Roy schudde weer zijn hoofd.

'Smaragden,' zei Willem verliefd. 'Eentje zo groot als mijn duimnagel. Een blinde kon zien dat ze echt waren.'

'Maar…'

'Stil! Nu komt het mooiste! Want hij kon niet verklaren, hij kon niet verklaren, Roy, hoe hij aan die stenen kwam. En hij had geen bewijs, geen nota, helemaal niks.'

Hij klakte met zijn tong. 'Wat een miezerig mannetje. Hij stond daar te springen als een zandvlo en te brabbelen dat hij alleen maar een tussenpersoon was en hij zweette zo hard dat je hem rook.'

'En nu?'

'Nu zit hij er nog,' zei Willem met innige tevredenheid. 'Zij hebben een proces-verbaal geschreven voor mijn portemonnee, en daarna ben ik weggegaan. Maar die ene agent, dat is de zoon van de ouwe Bernardo die niet meer goed is in zijn hoofd, die liep met mij mee naar buiten, en die zei dat ze hem vasthouden.'

Hij grijnsde zo breed dat je zijn kiezen kon tellen. 'Hij bedankte mij niet, Roy, maar het scheelde niet veel. Ik heb hém wel bedankt, natuurlijk.'

En nu zou Roy het aan Andreas willen vertellen, zodat die wist dat hij nergens meer bang voor hoefde te zijn, maar hij durfde ook de tante niet onder ogen te komen.

Hij staarde naar zijn stoffige tenen. Vanavond gingen ze terug naar Nederland, Emma en Andreas, ach, en dan waren ze hem zo vergeten. Zo'n eilandjongen, daar dacht je niet meer aan als je weer je eigen vrienden om je heen had.

Hij staarde nog steeds naar zijn tenen toen het postautootje het erf op draaide.

22

'Hebben jullie echt alles?' Titia scharrelde om hen heen als een kloek om haar kuikens.

Ze knikten.

'Zeker weten?' Ze draafde terug naar de slaapkamer, inspecteerde de badkamer, trok volledig overbodig de keukenkastjes open.

'Daar liggen ze niet,' zei Emma. Ze knipoogde naar Andreas.

'Wat niet?'

'Ik maak maar een grapje. Kom nou, Ti, we moeten echt weg.' Ze trok aan haar spijkerbroek. 'God, wat heb ik het heet.'

'Ik kom al, waar heb ik nou mijn autosleutels?'

Emma liet ze aan een vinger voor haar neus bengelen. Ti griste ze uit haar hand, lachte mee.

'Goed dat jullie niet je eigen handdoeken hadden meegenomen voor dat laatste zwemmetje, die waren nu nog niet droog geweest.'

Andreas peuterde met een pink in zijn oor, waar water in zat.

'Kom nou, Ti.'

'Ja, we gaan.' Kalm opeens dreef ze hen voor zich uit, sloot de buitendeur zorgvuldig achter zich en tilde de grootste koffer op.

'Laat mij maar,' zei Emma.

'Nee, neem jij die kleine.'

Emma trok een gezicht naar Andreas, maar pakte braaf de kleine koffer.

Ze propten alles in het koekblik en Ti startte. De motor hoestte en sloeg af.

'Nee hè.' Ze probeerde het opnieuw, en deze keer bleef de motor lopen.

Ze reden de oprit af en Andreas draaide zijn hoofd om. Boris zat op zijn vaste plekje op de grootste steen. Op de tuintafel landde kwetterend een suikerdiefje.

Emma keek ook. 'Ik mis het nou al.'

'Ja.'

'Maar jullie komen terug,' zei Ti. 'Beloofd is beloofd. Volgend jaar, of anders het jaar daarna.'

De luchthaven blonk warmroze in de laagstaande zon, de taxichauffeurs zaten op hun klapstoeltjes en speelden domino. Het leek merkwaardig vertrouwd, zoals alles hun nu vertrouwd voorkwam. Het scherp afsteken van de palmen tegen de heldere hemel, de zilte lucht die je rook zodra je opstond en daarna vergat tot de volgende ochtend, zelfs de warmte die de eerste dagen zo nadrukkelijk was geweest.

Ze checkten in en gingen iets drinken in de wachtruimte. De reusachtige televisie waar geen mens naar keek schetterde in een hoek en liet beelden zien van voorbije voetbalwedstrijden.

Andreas was stil. Hij plukte aan zijn spijkerbroek en keek voortdurend om zich heen.

Emma seinde Ti met haar ogen: laat maar.

Opeens stond hij op. 'Ik ga even in de wind staan, ik heb het warm.'

'Wat is er met hem?' vroeg Ti, toen hij naar buiten was gelopen.

'Weet ik niet,' zei Emma. 'Ik denk dat hij weg wil, maar tegelijk ook niet.' Ze lachte. 'Net zoals ik.'

Ze zwegen.

'Hij is toch niet bang om te vliegen?'

'Absoluut niet. Laat hem maar, Ti.'

'Binnenvettertje,' zuchtte Ti. Ze keek op haar horloge. 'We moeten zo.'

'Ja.'

Ze zwegen weer.

'Em,' zei Ti. 'Ik hoop toch zo dat het thuis… Kunnen jullie van de zomer niet met z'n vieren komen?'

'Waar wilde je ons laten?'

Ti haalde haar schouders op. 'Daar vind ik wel wat op. Desnoods slapen jullie tweeën in de kamer.'

Andreas stond buiten en wachtte, zoals hij de hele dag had gewacht. Hij drentelde heen en weer terwijl de wind zijn wangen koelde, bekeek de telefooncel die geen echte cel was omdat er geen deur in zat, pakte een krant op die op een plankje naast de telefoon lag. De Amigoe.

Een van de taxichauffeurs keek op en zei iets.

'Wat zegt u?'

'Mijn krant.' De chauffeur lachte naar hem.

'O.' Haastig legde hij de krant terug.

Had hij zich zo vergist? Hij had zo zeker geweten dat Roy zou komen. Niet naar Ti's huis, maar toch wel naar het strandje. Hij had Emma laat in de middag overgehaald nog even gauw te gaan zwemmen. Ze had niet gewild, maar was toch meegegaan.

En nu was het bijna te laat. Zo meteen moesten ze ergens anders wachten, waar geen mensen meer mochten komen die niet met het vliegtuig meegingen. Hij keek om en zag Ti wenken. Op hetzelfde moment hoorde hij een vliegtuig. Hun vliegtuig.

Het geraas zwol aan tot gedonder en daarna tot gebrul. Zo laag dat je niet meer geloofde dat het nog kon, scheerde het enorme toestel over de landingsbaan.

Hij hoorde hoe het in de verte keerde en hoe de motoren tot rust kwamen toen het langzaam aan kwam taxiën.

Ti wenkte weer, en hij knikte. Nog één keer draaide hij zich om, en daar stond Roy.

'Andreas.'

'Roy!' Andreas straalde, zijn hele gezicht één lach. 'Ik wist wel dat je zou komen!'

Roy pakte hem bij zijn arm. 'Andreas, het is in orde. Alles is in orde.'

'Natuurlijk,' zei Andreas. 'Ik was ook helemaal niet boos, ik...'

'Dat bedoel ik niet.' Roy's gezicht stond gespannen. 'Die man. Ze hebben hem te pakken.'

Andreas staarde hem aan.

'De politie heeft hem te pakken,' herhaalde Roy. 'Dus je hoeft niet meer bang te zijn.'

'Wacht!' Andreas trok zich los. 'Wacht hier, ik haal Em!'

Roy maakte een gebaar als om hem tegen te houden, maar hij was al weg.

Emma liep een meter achter hem toen hij terugkwam. Ze had haar handen in de achterzakken van haar spijkerbroek gestoken.

'Dag Roy.'

'Dag Emma.'

Andreas keek van de een naar de ander.

'Doe nou niet zo lullig Em, hij is speciaal voor ons gekomen. Ja toch, Roy, je bent speciaal voor ons gekomen?'

Roy dacht aan het telegram dat die middag was bezorgd.

Ik kom thuis.
Carlos.

Niet 'kom morgen', of 'kom zaterdag', maar 'ik kom thuis'. Alsof het definitief was. Zijn moeder was ervan overtuigd. 'Hij blijft, Roy, hij blijft! Het heeft geholpen, zie je nu?' Ze was naar de kast gelo-

pen waarop de lege fotolijst glom. 'Conchita is goed met de brua, ik heb het jou gezegd. Jij gelooft niet, maar als je dat wél doet…'
En ze had de lijst gepakt en hem gekust. 'Deze keer blijft hij voorgoed!'

Misschien was het waar. Misschien had Carlos iets geleerd; hij had die tien dagen in de cel genoeg tijd gehad om na te denken.

Over een halfuurtje zou hij het weten. Maar hij zou Andreas' vertrouwen niet opnieuw beschamen. Hij haalde diep adem.

'Natuurlijk kom ik voor jullie. Ik kwam afscheid nemen. En jullie iets geven.'

Emma en Andreas keken naar de sleutelhangers, waaraan een glimmend plastic beertje hing.

Andreas nam de zijne onmiddellijk aan. 'Dank je wel, ik zal er heel zuinig op zijn.'

Roy keek naar Emma. 'Ze hebben de man te pakken.'

Ze knikte. 'Dreas zei het. Dus alles is goed afgelopen, hè?'

De sleutelhanger lag op de palm van zijn hand. Ze zag dat over vier vingers brede blauwgroene strepen liepen. De vingers waren nog dik.

'Je verband is eraf.'

'Ja.'

Ze haalde een hand uit haar zak en pakte de sleutelhanger voorzichtig op. 'Dank je wel.'

Zijn blik dwaalde af naar Ti, die nog aan hun tafeltje zat. 'Ik moet jullie bedanken.'

Ze sloeg haar ogen neer en staarde naar zijn schoenen, die afzichtelijke supermarktschoenen waaraan je kon zien hoe slecht ze moesten zitten. Ze keek hem aan, en hij glimlachte, zodat het groefje in zijn wang verscheen. En eindelijk wist ze op wie hij leek.

De man op Schiphol. De man van de beer. Zijn broer.

Ze deed haar mond open, maar zei niet wat ze wilde zeggen.

'Ik zal hem goed bewaren.'

'Ayó, Emma.'
Ze draaide zich om. 'Ayó, Roy.'

Ze keken haar na. Ti wenkte.
'Je moet gaan, Andreas.'
'Ja.' Andreas groef in de zak van zijn spijkerbroek. 'Ik heb ook iets voor jou.'
De kreukelige envelop stak helwit af tegen Roy's huid.
'Wat zit erin, Dreas?'
Dreas.
Andreas grijnsde zo breed dat de tranen hem in de ogen sprongen.
'Kijk straks maar. En... en... doe ermee wat je het liefst zou doen.'
Roy kneep in de envelop. Ongelovig keek hij op.
'Maar...'
'Ik moet echt weg.' Andreas grijnsde nog steeds. 'Er zit nog meer in. Dat zie je ook straks wel.'
Hij stak zijn hand uit, maar Roy pakte hem bij zijn schouders.
'Jij bent gek,' zei hij schor.
Andreas wees op zijn voorhoofd. 'Hartstikken.'
Ze lachten zo hard dat de taxichauffeurs verbaasd omkeken.

'Waar bleef je nou, daarstraks,' zei Emma toen het vliegtuig los was van de grond.
'Nog even praten.'
'Maar je gaf Roy iets. Een envelop. Wat zat erin?'
'Dat leg ik je onderweg wel uit.' Andreas keek uit het raampje om nog een laatste glimp van het eiland op te vangen.
Op de lange rechte weg die naar Kralendijk liep, zag hij lichtjes pinkelen, en in gedachten reed hij mee met Ti. Rechtuit, bocht om, nog een bocht om, terug naar Boris op zijn steen.

Het vliegtuig zwenkte traag, en hij zag Emma's gezicht weerspiegeld in het raampje.

Moest hij haar nou alleen vertellen van die drie stenen, of ook dat hij hun adres op een briefje erbij had gestopt? Hij schoof heen en weer in zijn stoel tot hij gemakkelijk zat.

Er was tijd genoeg om daarover na te denken.